D0035968

Le couteau sur la table

Du même auteur

Carton-pâte, poèmes, Seghers, Paris, 1956 (épuisé)
Les pavés secs, poèmes, Beauchemin, Montréal, 1958 (épuisé)
La chair est un commencement, Écrits du Canada français, n° V, 1959 (épuisé)
C'est la chaude loi des hommes, poèmes, Hexagone, Montréal, 1960 (épuisé)
L'aquarium, roman, Seuil, Paris, 1962
Poésie/poetry 64, anthologie, en collaboration, Éd. du Jour, 1963 (épuisé)
Le couteau sur la table, roman, Seuil, Paris, 1965
Le mouvement du 8 avril, pamphlet, MLF, 1966 (épuisé)
L'homme dans la cité, scénario de pavillon, en collaboration, Exposition universelle de Montréal, 1967
Salut Galarneau!, roman, Seuil, Paris,1967
La grande muraille de Chine, traduction (John Colombo), Montréal, Éd. du Jour, 1969 (épuisé)
D'amour P.Q., roman, Seuil, Paris,1972
L'interview, texte radiophonique, en collaboration avec Pierre Turgeon, Leméac, Montréal, 1973
Le réformiste, essais, Quinze, Montréal, 1975
L'Isle au Dragon, roman, Seuil, Paris, 1976
Les têtes à Papineau, roman, Seuil, Paris, 1981
Le murmure marchand, essai, Boréal, Montréal, 1984
Souvenirs shop, poèmes, Hexagone, Montréal, 1985
Une histoire américaine, roman, Seuil, Paris, 1986
Un cœur de rockeur, essai documentaire, Éd. de l'Homme, Montréal, 1988

Jacques Godbout

Le couteau sur la table

roman

Seuil

Illustration de la couverture: Pierre-Paul Pariseau

Dépôt légal: 1er trimestre 1989
Bibliothèque nationale du Québec

Données de catalogage avant publication (Canada)

Godbout, Jacques, 1933-
Le couteau sur la table
(Boréal compact; 10)
Éd. originale: Paris, Éditions du Seuil, 1965
ISBN 2-89052-276-8
I. Titre. II. Collection.
PS8513.032C68 1989 C843'.54 C89-096028-3
PS9513.032C68 1989 PQ3919.2.G62C68 1989

Pour ceux de *Liberté*
en signe d'amitié

Ce livre est, d'abord, l'histoire d'une rupture. Entre des êtres qui s'aiment, bien sûr, mais aussi le récit, par *ce qu'il ne dit pas,* marque une autre rupture : aujourd'hui il est des choses, des événements, des faits, qu'un Canadien français ne veut plus expliquer (il ne s'agit pas de lassitude, mais à force de s'expliquer on oublie de vivre).

C'est pourquoi ce roman, s'il fait encore partie de la « littérature française », est peut-être déjà plus près de celle de la *francité,* dont parle Berque. Dans cette *francité* nous nous reconnaissons, de Dakar à Montréal ; mais plutôt qu'être *Français,* d'une façon personnelle, nous préférons maintenant être *nous-mêmes, en* français.

L'expression de ces identités nouvelles est encore, forcément, inexacte ; c'est pourquoi *le Couteau sur la Table* ne prétend pas être autre chose qu'une approximation littéraire d'un phénomène de ré-appropriation du monde et d'une culture.

J. G.

I, Ni, Mi, / Ni, Maï, Ni, Mo
Catch a nigger by the toe
If he hollers let him go
I, Ni, Mi, / Ni, Maï, Ni, Mo

Comptine bretonne
des îles britanniques

I

1. — J'ai reçu une lettre de mother dear.

— ...

— Elle est en Floride. Se laisse chauffer au soleil de Miami.

— Avec d'autres veuves ?

— Evidemment. Laura Stanson est avec elle, Mary Dew et la vieille Jane Barnhill.

— Toutes quatre en goguette !

— Elles parlent d'acheter une maison et de ne plus jamais revenir sous ce climat stupide.

— C'est pour ça que ton père s'est crevé la peau ?

— Non, tu penses ! Because my father left a few million dollars behind him, ces millions tu voudrais qu'elle les distribue aux petits orphelins ?

— C'est la façon habituelle dont les riches achètent leur bonne conscience. C'est même assez bien vu.

— Mon chou, tu me dégoûtes parfois — surtout quand tu parles Argent. Au fait : tes créanciers ?

— Ils vont très bien merci et le chef de la police des mœurs aussi. M'emmerde à la fin.

Maussade, je me tais.

[Sans en être le tout début, ma rencontre avec Patricia, cet été-là, avait quand même précipité (empiré) ma situation vis-à-vis le bien d'autrui. J'étais si mal payé dans cette armée de cons d'ailleurs, qu'à la fin septembre, quand je décidai *at last* de ne plus jamais remettre les pieds au camp, j'y abandonnai avec satisfaction mes frusques et mon casque, me considérant à la fois comme déserteur et comme désintéressé, ce qui plaisait d'une part à mon côté aventures de Tarzan, d'autre part à mes instincts politiques. Salaire et retraite, vivent les colonels !

Aujourd'hui, l'armée, je m'en contrefiche à la verticale comme à l'horizontale[1].]

1. New York (A.F.P.). — L'hebdomadaire *Time* publie dans son numéro du 23 août, *Now on sale,* un article sur l'arsenal atomique des Etats-Unis qui en fait la plus puissante nation de l'histoire.

« Cet arsenal, écrit *Time,* comprend à l'heure actuelle : 125 missiles intercontinentaux du genre Atlas, dotés chacun d'ogives atomiques de 5 mégatonnes (une mégatonne a la force explosive de 1 000 000 de tonnes de T.N.T.) ; 68 missiles Titans, intercontinentaux, dotés d'ogives à charge nucléaire de 10 mégatonnes ; 150 nouveaux missiles minuteman dont les deux-tiers ont été installés au cours des six derniers mois et 800 autres qui le seront d'ici deux ans. Ces missiles sont dotés d'ogives atomiques de 800 kilotonnes ; 144 missiles Polaris dotés d'ogives de 800 kilotonnes sur neuf sous-marins en mer (32 autres sous-marins et 512 missiles seront en service d'ici 1968) ; 400 missiles air-terre Hound-Dog armés d'une bombe d'une mégatonne.

» Outre ces armes, ajoute *Time,* l'aviation militaire américaine possède 2 000 bombes de 10 mégatonnes portées par 720 vieux bombardiers « B-47 » et 80 nouveaux avions supersoniques « B-58 ».

Un rayon, traversant les persiennes, vient se jeter sur les draps de lit. Patricia écarte les jambes. Elle aimerait, dit-elle, être enceinte d'un soleil d'hiver...

2. Sur la place il fait un soleil éclatant comme un sachet de papier soufflé, crevé comme en un coup de trompette. Et les gens se regardent à travers leurs cils baissés ; ce blanc, d'une telle intensité qu'on le croirait possédé de lumière. A peine, pourtant, l'air qui bouge suffit-il à transmettre les sons. Et partout de la neige entassée, comme du linge à laver.

[Je ne me souviens de soleils semblables que dormant dans la poussière et la sécheresse (et les charognards qui battaient de l'aile) ; ailleurs.]

Ou encore : cette nappe d'eau où les rayons réfléchis, comme des galets rebondissant sur les vagues, forçaient l'œil à se cacher derrière nos cils rapprochés,

Par ailleurs, une bombe de 24 mégatonnes est transportée par les « B-52 » du Strategic Air Command.

» Une telle bombe, écrit l'hebdomadaire, lancée au-dessus d'une grande ville, éclaterait en une boule de feu de 4 milles de diamètre, provoquant des incendies à 40 milles à la ronde, creuserait un cratère de 1 mille de largeur et de centaines de pieds de profondeur. Elle dégagerait un gigantesque nuage empoisonné de poussières radio-actives montant à 25 milles dans les airs, engendrerait des retombées mortelles capables de tuer les humains à plus de 350 milles du centre de l'explosion. Les Etats-Unis possèdent quelque 1 600 bombes de cette force distribuées dans 630 « B-52 » et prêtes à être larguées. Avec cet arsenal nucléaire, les U.S.A. sont la nation la plus puissante de l'histoire du monde. »

m'obligeant alors à détourner la tête comme d'un horrible spectacle.

3. Une robe rouge que nos pieds ont rejetée au bout du lit. Le rouge lui sied si bien que je me suis souvent senti dans la rue trompé par les regards attentifs qu'elle attirait. (C'était en cinquante-deux.)

(Pendant ce temps, sous la douche, Patricia prend plaisir à faire mousser le savon autour de ses seins. Patricia demeure toujours trop longtemps sous la douche, comme si elle n'en avait jamais fini de retrouver sa virginité ou son teint. En vain je lui répète tous les jours que le plâtre, au-dessus des surfaces de céramique blanches en leur milieu, jaunies dans les coins, va tomber tant il devient humide, va s'effriter comme un mauvais maquillage et qu'il faut courber les épaules, le dos, pour que les gouttes ne rebondissent pas inutilement, pour que l'eau qui gicle s'écoule, lèche le corps...)

4. Au loin, derrière les dernières maisons, par Baker Street, on atteint cet unique monticule d'où les citadins viennent voir l'horizon toucher à la terre, tout autour, par la ligne bleue de l'air, comme une égratignure précise.

Chaque midi nous nous y rendons avec les autres qui arrivent par petits groupes comme à une messe étrange où chacun attend un dieu à sa mesure et qui ne vient jamais.

— Bonjour Mathew.
— Hello.
— Anything new ?
— Jesus saves !
— Et la vieille Edith ?
— Dead. It is sad indeed.
— On ne peut pas passer sa vie à naître.
— Hello Patty !
— Good day Mister Black.
— Vois l'avion là-bas.
— C'est un oiseau, chéri, tu t'inquiètes pour rien.
— Let us sing, brothers, let us pray.

In the upper room
In the upper room
With Jesus...

Dans ces plaines, nombril du continent, il faudrait élever, construire des tours, et des pyramides, pour — de leur sommet — mieux mesurer le vide, l'immensité que recouvre la neige, ou encore le blé qui nous entoure, l'été, vers l'ouest...

L'hiver, il n'y a pas d'odeurs.

C'était la moisson pourtant. Non pas que l'un ou l'autre y participions, avec ces airs qu'ont les gens des villes (du foin dans les cheveux, affublés de vêtements ridicules, jouant les paysans du dimanche), mais en ce mois nous avions tous deux de lents week-ends à occuper. Tout au long d'août la semaine anglaise écourtée : je quittais le camp le jeudi soir pour ne rentrer que le lundi matin ; elle faisait de même, s'étant inscrite aux cours d'été de l'Université du lieu. Je jouais au soldat, elle à l'intellectuelle : nous étions à encadrer pour l'exposition de l'Internationale bourgeoisie...

— Je me sens si bien sous la douche que je ferais l'amour tout seulement pour y revenir...

— Tout simplement !

— ... tout simplement pour y revenir. Merci.

— C'est fou ce que tu as oublié le français.

— Ah.

— Tu te souviens : cet accent que j'exigeais de toi, cet inlassable retour aux formes correctes ?

Elle sourit de toutes ses taches de rousseur, cherchant ses bras avec nonchalance.

Elle prend un malin plaisir à se promener nue, en riant dans la chambre, pendant qu'appuyé à la tête du lit, un oreiller sous les reins, je la suis des yeux, dans une caresse avouée ; son dos blanc rayé par les taches de lumière que le store vénitien laisse couler entre des lames horizontales, un corps zébré, puis le noir, l'ombre du mur lorsqu'elle se penche, puis une épaule dans la lumière... (Quelle est cette histoire que nous racontait le père Genest, professeur de morale, jésuite, où dans une tribu la décence consistait à se couvrir les épaules, mais à se promener nu ? Je me souviens qu'il en tremblait d'aise.)

5. Si les oasis ont toujours quelque chose d'artificiel, une allure figée, une couleur contrôlée, et cet *ordre* dans la nature et le nombre d'arbres, celle-ci en avait tous les raffinements : autour d'un lac creusé par les bulldozers du gouvernement, on avait distribué (géométriquement) des conifères vert noir et bleu de prusse, construit des cabanes de bois rond verni (rustic log cabins are so *sweet)*, planté, cloué ici et là des affiches où les lettres peintes imitaient le bouleau, aménagé d'immenses terrains de camping avec le tout-à-l'égout, eau courante pour laver la vaisselle, bois coupé et séché à l'avance, trous de ciment pour construire les feux de camp (be careful, help prevent disasters)... seuls l'usage et le temps avaient un peu réussi, à grands coups d'invitations à boire du Coca-cola, du Pepsi-cola et de l'orange Crush, grâce aussi aux néons verts des motels (vacancy), à transformer le Lake en un lieu habitable.

Mais le Lake était, à trois jours de route à la ronde, le seul coin d'ombre et de fraîcheur. On y trouvait deux bowlings et le seul dancing du pays. Et l'unique écurie. Patricia y venait pour les chevaux ; (horse chesnut or chesnut horse ?).

A midi le soleil et le vent nous permettaient d'imaginer des montagnes pour nous distraire, d'inventer des mirages. A minuit nous nous retranchions dans des salles de tir, où nous cherchions à retrouver ces mythes de l'Ouest à conquérir. (Playland-vérité : dans un coin un automate grandeur nature habillé de noir et déguisé en cow-boy véreux défiait pour dix cents celui qui voulait jouer le jeu. Les filles surtout y prenaient grande joie. Et la bande magnétique lançait des insultes à chaque coup raté pour qu'elles y prissent un plaisir accru.) Il y avait aussi, derrière des vitres en trompe-l'œil, des safaris, des guerres, des porte-avions...

— Would you throw my shoes this way ? please ?

Patricia met sa robe avec l'attention délicate des fleurs filmées au ralenti et se transforme en tache de sang contre le mur, en salvia, comme il y en avait au pied des baraquements de l'Intendance. (Baraquer : s'accroupir, en parlant du chameau.) Le chameau, cet été-là, c'était le colonel qu'on avait fait venir de Londres pour qu'il nous enseigne à marcher en rangs et se consacre à nous faire réciter les leçons de droit militaire.

Certains jours d'apparat et de parades, rasé de près, frotté, poli, repassé comme une nappe d'autel par des sœurs grises, il donnait un spectacle de marionnettes sans fil, dans lequel nous avions le rôle anonyme des vedettes d'une chorale ; son épouse, sorte de grande Anglaise aux pieds trop longs et qui s'obstinaient à aller chacun de leur côté, bien droite sur une chaise de bois pâle, ne nous lâchait pas des yeux. Le colonel atteignait l'orgasme en nous faisant courir sur place. Elle, sûrement, choisissait alors les plus costauds pour la soirée, les invitait à venir prendre le thé, puis à s'envoyer les uns après les autres la femme d'un colonel qui devait avoir le cul comme deux lamelles de citron. *Iced tea.*

— Pourquoi es-tu revenu ?

— Je ne sais pas encore. Pour toi. Pour la sécurité de l'argent peut-être, pour ta santé.

— Vrai ?

— Je ne sais pas : l'Amérique entière me semblait vide comme la paume de ma main.

— Pour la complicité ?

— Si tu veux... La complicité, le prestige...

Cela la rassure. Nous marchons côte à côte, nous supportant l'un l'autre, car la glace sous la neige défie l'équilibre à chaque pas. Dehors, dans son manteau de fourrure, il ne reste plus de Patricia qu'un visage heureux d'affronter le froid. Sa peau se tend sous le vent, s'affermit, c'est le retour à l'enfance, aux joues roses, aux écharpes de laine sur la bouche, aux lèvres gercées, aux yeux qui pleurent délicieusement.

Tout à l'heure une curieuse teinte bleue commencera de colorer les bancs, puis, à mesure que les maisons s'espaceront, la neige deviendra plus dure, plus haute aussi dans les champs.

6. Sur le sable du lac artificiel j'essayais de me laisser bronzer ou encore, quand le soleil se réfugiait derrière les arbres, je m'efforçais de m'intéresser au va-et-vient des enfants avec leurs seaux leurs pelles leurs ballons de polythène coloré, au lent cortège de vieilles bonnes femmes dont les jambes atrocement marquées par le travail et les cuisses striées de veinures crevées, presque glauques par endroits, semblaient jouer

les colonnades décrépites d'un royaume disparu. Je ne m'ennuyais pas : je récupérais ; n'étant pas tout à fait un athlète accompli, je dépensais facilement plus d'énergie qu'il en aurait fallu dans ces courses d'entraînement stupides où nous devions porter sur notre dos tout l'équipement nécessaire à un nid de mitraille, trébuchant dans les framboisiers sauvages pendant que le colonel roulait par les petites routes, assis dans sa jeep comme César dans les pages illustrées du dictionnaire. Je ne m'ennuyais pas, j'étais abruti peut-être ; mais aussi les fillettes portaient toutes, dans la bouche, un appareil en métal blanc pour corriger l'élan des incisives, ce qui leur donnait malgré leurs treize ans parfois une allure ridicule de gosse qui refuse de vieillir ; mais aussi les jeunes femmes n'étaient pas nombreuses, et celles, très rares, qui vivaient au camp ne se rendaient au Lake qu'avec leur mari. Seules des Suédoises venues étudier les dernières inventions de l'aviation américaine, auraient pu, certains dimanches, nous offrir une fête...

— Pourquoi revenir ici alors ?

— Je t'aime. C'est simple. Et puis j'ai la mémoire courte : tu m'aides à vivre deux fois. Si je dis : John Jarrel : tu m'aides à tracer son portrait, à me rappeler la couleur des cravates horribles qu'il portait les samedis soirs, à décrire l'odeur de la boutique qu'il tenait dans le Summit Circle, tu te rappelles la Buick rouge ouverte qu'il...

— Bleue je crois.

— Tu vois ? Et la lumière mauve qu'il faisait quand

il vint nous prendre près du restaurant espagnol, un jeudi soir.

— Tu n'es pas revenu pour cela seulement ?

— Non. Sans doute.

Nous marchons depuis si longtemps que la neige s'affadit dans la lumière, et le soleil qui blanchit semble se refroidir pour la fin du monde. La route, à présent, est à peine plus grise que l'horizon où l'œil déjà ne distingue plus rien.

Tout est si propre... si monstrueusement *anglais* diraient les copains s'ils voyaient ces rues nettoyées comme le fond d'une baignoire, curées au détersif Ajax sûrement.

Nous avons traversé la banlieue ouest sans y trouver un seul objet qui traînât. (Pas même une poubelle abandonnée qui aurait pu être plongée à demi dans la neige.) L'unique distraction qu'on nous offre est celle de compter les presbytériens qui quittent, à cette heure, leur chapelle de bois blanc, plus heureux de se retrouver ensemble peut-être, que de prier.

Ne pas être seul, face à la neige.

Mais le pasteur se plaint qu'on vient de moins en moins chanter en chœur les louanges du créateur et qu'à l'office du mercredi soir c'est à peine s'il peut faire un quatuor convenable : ici et là, dans le ciel, les antennes de télévision, collées aux cheminées pour pouvoir résister au vent, offrent leur prière au monde de l'*entertainment*. En rentrant par la grand-rue qui fut longtemps l'unique rue de la ville, nous les comptons qui dressent leur corset d'acier dans la lumière diffuse, comme si elles étaient nuée d'insectes pétrifiés sur les toits de la *city*.

(Ce qui reste incroyable, c'est de fixer ce vide au-dessus de nous et de n'y point distinguer la parole et les chants que ramassent les antennes.) Je sais d'ailleurs par cœur les chansons que doivent susurrer les crouneurs du *Hit Parade* local, au chanel nine, à l'instant :

I'm in the mood for love.

...

Patricia. Ce sont ces mêmes airs que nous jouait l'électrophone du dancing qui, pour dix cents, s'illuminait joliment, faisait la roue comme un paon, répandait les couleurs de l'arc-en-ciel de bas en haut, le long de tubes enfumés, avec de légers soubresauts comme un hoquet sexuel pendant que le bras mécanique choisissait l'un des trente-cinq disques (B-12, C-21, D-30 *a quarter)* mis en rangées comme livres en bibliothèque. (Au même moment la moitié mâle de la salle se précipitait vers l'autre moitié qu'une affiche accrochée au plafond par deux chaînettes de cuivre appelait pompeusement *ladies*, se bousculant l'une l'autre pour s'atteindre ;)

d'ordinaire je laissais passer quelques danses, prenant bien soin de repérer dans ce magma où s'entremêlaient des teenagers affolées et des poules à la retraite celle qui mériterait que je fisse un effort pour l'atteindre, lui parler, l'étreindre de tout mon corps suivant le rythme précis que crachaient trois haut-parleurs tonitruants, stratégiquement dissimulés dans le plafond grisâtre.

De temps à autre un policier traversait la pièce, légèrement ridicule dans sa culotte d'équitation surannée et portant ce chapeau des *mounties* en habit rouge, pour s'assurer que le bar ne vendait aucun alcool ; chaque fois, les bouteilles glissaient sous les tables puis revenaient à la surface dès qu'il avait passé la porte à nouveau. D'ailleurs sa ronde étant minutée, on savait (il savait) qu'il ne prendrait jamais la salle par suprise. *Save the surface you save all,* répétait souvent mon père à propos des Irlandais, puis il crachait par terre, je faisais de même.

7. Devant les bureaux de la Free Press, sous une photographie que le grain de la télétransmission rend plus dramatique encore, et où un oncle Tom à lunettes, dans le coin gauche, semble esquisser un pas de danse pour éviter deux cow-boys blancs : « *Des policiers à cheval font grimacer de douleur un noir en lui touchant le dos avec des bâtons à aiguillon électrique, lesquels servent normalement à aiguillonner le bétail.* »

(Reuter.) La police a procédé hier soir à l'arrestation de 104 noirs qui participaient à une manifestation pacifique contre la ségrégation raciale à Plaquemine, en Louisiane. 85 manifestants, dont 33 enfants, avaient été arrêtés précédemment au cours d'une manifestation semblable. Ils ont tous été inculpés de désordre sur la voie publique.

Pendant ce temps, à Chicago, le pasteur Martin

Luther King a déclaré que d'autres incidents raciaux étaient à prévoir à Birmingham. Faisant allusion aux récents attentats à la bombe, King a dit : « Cette ville pourrait être bientôt le théâtre d'une nuit de violence. »

[Il n'y a pas si longtemps ces événements nous eussent parus impossibles ou au bout du monde, ou encore nous n'en aurions rien su ; aujourd'hui si l'on passe à la baignoire les membres du parti socialiste de l'Union nationale des forces populaires, à Agadir, c'est comme si cela se pratiquait à deux rues d'ici. (L'homme universel est né et nous ne nous en sommes pas aperçus.) Mais Patricia refuse de lire les journaux, d'écouter la radio ou à la télé les nouvelles du jour : suis-je amoureux de son ignorance calme ? J'ai mal, là. Sottises. Il faut quand même faire coïncider les réels.]

8. Dans la vitrine givrée du plus gros bijoutier de la ville, Patricia a fait avec la chaleur de son haleine un œil-de-bœuf. Nous y plaquons l'un après l'autre le sourcil, cherchant quelque bague originale que nous pourrions revenir acheter demain. (Patricia collectionne les bagues, et pour lui faire plaisir nous nous étions fiancés six fois cet été-là.) — Un anneau d'argent, un cabochon bleu, elle cligne de l'œil, nous avons choisi.

Est-ce le front haut qui lui donne cet air ou bien l'acier des yeux ?

(Mother, what is love at first sight ?)

(Mais non mon fils ton drame : le péché d'intelligence ; dès que tu as compris cela ne t'intéresse plus, alors...)

Le froid décuple maintenant l'appel strident des sirènes dans les rues de la basse ville et jusqu'au sifflement indécent des réactés qui nous jetterait pour un peu contre des murs de ciment soulevé comme la laine des tapis ; l'air à cette température est un cristal qui vibre dangereusement sous les oscillations imprévisibles des hautes fréquences. Le cri d'un enfant va se répercutant dans la ville devenue boîte à écho.

— Tu sais les petits Chinois qui meurent de[1]...

9. L'artifice du Lake était attachant comme un épagneul : ces façades surtout, partout prêtes à être démantelées ; mais j'y trouvais plus l'image d'une sécurité maternelle que si j'avais vécu entre des pierres millénaires, ou les pieds dans des fontaines qu'auraient dominées des statues antiques. [Patricia est un peu ce clinquant, cet univers de parvenus, ce chrome qui parle

1. Ici on ne choisit pas le restaurant pour la qualité de sa cuisine — elle est partout saine de la même façon et semblable en toute épice — mais plutôt pour la hardiesse du décor, ou même pour son seul nom : en plein hiver, quand le bout des oreilles vous blanchit de froid il y a un plaisir certain à manger au Monaco Café même si on y mange mal. L'exotisme voulu n'étant de toute manière pas plus décevant que l'exotisme accidentel de certaines réalités. Au contraire. Prévenant notre surprise et limitant nos désirs, les fougères et les philodendrons de plastique vert finissent par émettre une chaleur qui leur est propre et contagieuse.

anglais. Ce factice. C'est toute une race d'Américains — et de Canadiens anglais — qui accorde autant d'importance à un musée de l'automobile qu'au Parthénon. Plus peut-être (certains étés ils partent à cinquante ou soixante dans des Fords de modèle ancien et parcourent le pays comme ça, pour rien, pour montrer aux gens qu'ils croisent qu'ils ont conservé en bon état un objet datant de 1920, eux). Complètement cinglés. L'univers du bisenesse ? Je l'aime comme j'aime le néon. Comme je préfère ces mauvaises séries à la télévision à un concert sérieux. Comme j'affectionne ces feux partout qui veulent nous faire oublier la nuit, ces décors qui insistent, ces lumières si vives qu'elles tuent le soleil, cette publicité...

Patricia, c'est mon côté faible, ma mare, le moyen terme par lequel j'entre en contact charnel avec les cent quatre-vingt-dix millions d'individus qui m'entourent. Mon petit catéchisme du vide colorié. Et puis quoi on ne peut passer ses jours à se préoccuper des nègres, de la guerre froide et des petits Chinois qui meurent de faim tout en avalant des huîtres frites et des coques au vin blanc.]

(Un corps un beau corps Patricia pas une ride dans ton visage et pas garce et pas stupide : elle était si jeune quand nous nous sommes rencontrés qu'elle devait s'habiller pour se vieillir si elle voulait entrer dans les cinémas interdits aux moins de dix-huit ans. Mais elle a vieilli et appris : aujourd'hui elle peut discuter de l'amour et de la mort son couteau pointant vers le ciel, sans un geste nerveux, la fourchette alerte,)

— Ça ne t'emmerde pas chéri de porter comme ça

le monde entier sur tes épaules ? *I mean come on get that chip off your shoulder!* Je ne suis pas une raciste moi, mais les seuls nègres que j'ai connus étaient porteurs à bord des trains, *I can't get upset like you*... Ça te coupe vraiment l'appétit ?

10. Les jeunes filles, qui venaient épuiser quelques jours de vacances à l'oasis, arrivaient le plus souvent deux par deux : l'une jolie, l'autre comme un roquet. Patricia était seule, et seule à la table du Paradise dancing hall. Elle ne semblait ni s'ennuyer, ni s'amuser. Elle refusa de danser, mais elle me dit qu'elle accepterait bien que je l'invite au restaurant même si elle avait déjà mangé... Patricia mange beaucoup et à belles dents sans jamais engraisser. De ce soir-là elle me coûta, à chaque week-end, la solde entière de ma semaine. Il m'aurait presque fallu me priver de bière et de cigarettes, au camp, pour être assuré de pouvoir payer la fête qu'elle exigerait dès le vendredi suivant. C'est à cette époque d'ailleurs que je dus commencer à liquider au marché noir des douilles d'obus que rachetaient certains marchands pour leur pesant de cuivre et d'anciens combattants pour leur poids de souvenirs.

— Combien de temps es-tu resté à Tampico ?

— Ce n'était pas Tampico. C'était beaucoup plus bas. Trois ans. Des mois. Pourquoi ?

— Je calcule, c'est tout.

Nous n'étions alors, elle et moi, que les bohémiens d'une race nouvelle : des gitans sans passé, *médiocres*, sans traditions, sans vierge à la mer l'automne, sans chapelets, sans chevaux à nourrir (et pourtant quel plaisir Patricia prenait à serrer entre ses cuisses le corps en sueur d'un pur-sang trop âgé pour les Queen's plates, mais assez vif encore pour trotter dans une lumière estivale !).

Heureux de toucher du doigt la médiocrité d'une vie en papier mâché (comme si elle se déroulait en décors préfabriqués et que nous fussions assis dans l'un de ces petits trains électriques que les grands magasins offrent aux enfants un mois avant la Noël et puis aussi pendant la semaine qui précède la Nouvelle Année : Bambi, Jumbo, Mickey, Superboy, la mythologie de Walt Disney nous étant plus familière que celle des elfes et des feux follets). Patricia croyait au bruit excessif ou au silence exagéré. Tantôt elle me forçait à danser six enregistrements d'affilée, tantôt elle me menait par la main, en pleine nuit, jusqu'au sable dont nous savions qu'il serait frais en surface puis chaud dès que les doigts y pénétreraient.

Nous restions face au mur d'ombres que projetaient des cèdres taillés tous les jeudis. Nous écoutions, je pense, les grillons, notre cœur, nous n'avions pas vingt ans.

(Let's go man let's.) Mais je ne voulais pas dormir. [J'ai toujours eu peur du sommeil (tout en dormant beaucoup), peur de ne plus me réveiller peut-être. Au Lake, à la fin de la nuit, dans King Street, ma plus grande déception était la fermeture progressive des boutiques, des playlands, des restaurants qui refusaient de servir un dernier sandwich, une dernière tasse de café.]

11. C'était un amour curieux et presque à sens unique : je rêvais d'elle toute la semaine, mais parce que nous étions de langue et de culture différentes j'avais peine à imaginer ses jours, ses pensées, son enfance. Je me crevais la peau pour elle j'astiquais j'attendais. J'étais devenu l'attente même. Indifférent aux autres, ce qu'ils me rendaient bien car au camp les hommes n'évitaient l'abrutissement total qu'à bout de nerfs, et le soir venu, quand le soleil n'en finissait pas de se coucher, ne pouvant rêver sur leur lit parce que les salles étaient mornes comme dortoirs de collège, ils se réunissaient dès sept heures autour d'un feu, de quelques caisses de bière, et de Rye Whisky.

Je me souviens de soirées entières passées dans un demi-sommeil à contempler le bois noir du piano, écorché par les chaises, par des coups de canif, par l'usage, seule surface où des graffitis avaient pu mordre. Les autres meubles, les fauteuils, les tables, étaient remplacés tous les mois à la suite d'une rixe pour rire, ou de batailles rangées entre les hommes de deux sections voisines qui vidaient la querelle des Anglais et des Français. Portant le même uniforme, obéissant aux mêmes ordres, des soldats vert kaki s'entremêlaient alors et les Canadiens français vengeaient, à coups de bottine, la déportation des Acadiens, la perte de la Louisiane, les sacrifices de Dieppe, pendant que les Anglais cherchaient à défendre leurs droits sur l'Amérique et la petite colonie de Québec.

Le lendemain, le Chameau, qui sentait bien nos querelles mais ne les comprenait pas, nous faisait sauter, courir, et nous menaçait d'une inspection des baraques : la plupart cette nuit-là dormaient à côté de leur lit, sur le tapis, pour ne pas défaire le pli impeccable des couvertures et des draps coincés comme à la Croix Rouge.

Les Anglais avaient la beuverie gauche et stupide, mais j'ai ainsi appris, affalé dans un fauteuil de cuirette, les yeux mi-clos, tout un folklore militaire qui faisait bien rire Patricia. Aussi les chansons étaient sans doute plus grivoises que je ne le soupçonnais (j'apprenais alors l'anglais et l'accent des prairies) et le double sens des mots m'échappait souvent.

Old King Cole
Is a merry ol'soul...

— Tu as froid ?
— Non bien sûr.
— Tu es revenu malgré le

Malgré le froid, malgré les créanciers, malgré la peur, malgré la haine, malgré un amour entier à recommencer à reprendre à renouveler Patricia première Patricia deuxième comme au temps de la royauté je suis revenu pour quelques jours pour deux cents ans peut-être.

12. A la porte du cinéma piétine une auxiliaire de la Salvation Army qui nous tend un journal : je sens que tout à l'heure, quand nous retournerons dans notre chambre, je n'éviterai pas un sermon sur l'oreiller : nue, me laissant caresser son corps blanc pailleté de roux, elle me prouvera l'existence d'un Dieu qu'elle aura inventé pendant la séance, pour me faire suer tout simplement, parce qu'elle sait que je n'y crois pas. De même (I like to tease you) ce qui faisait mon désespoir au Lake, c'était cette unique et minable salle dont les programmes ne changeaient qu'une fois la semaine : dans un seul week-end pluvieux, Patricia, la tête sur mon épaule, m'avait fait avaler quatre fois la vie de *Houdini le magicien* (non pas qu'elle y prenait tellement plaisir, mais cette sorte de narcissisme qui consistait à faire un film — art de l'illusion — à propos d'un illusionniste, la fascinait). D'ailleurs, assistant ainsi quatre fois aux mêmes épisodes en couleur, j'y prêtai — peut-être à cause de la fatigue — de plus en plus foi... (des bonbons que l'on croque dans le noir, un film B, des amoureux qui se bécotent là derrière, des vieillards endormis, du chewing-gum collé sous les bancs, sont ses objets indispensables)...

Les salles de quartier sont ses cathédrales, les bobby-soxers ses diacres. Il faut se plier aux rites, aux signes de croix ostensibles, se tremper les doigts dans un bénitier de pop-corn chaud au beurre salé.

La vie comme dans un sachet blanc.

— Tu crois que ça se recommence, un amour ?

— I can't listen to you and Bogart at the same time !

13. Tout à l'heure nous rentrerons par la rue principale ; dans la nuit glacée les drugstores ouverts vingt-quatre hours a day feront dans la neige durcie des carrés de lumière, des rectangles gris d'autres figures géométriques aussi qui se transforment à mesure qu'on les approche qu'on les piétine qu'on les traverse ; un jeu.

Et puis les nuits d'hiver seraient tristes à pleurer sans ces clartés qui comme des bruits éclatants forcent les gens qui passent à baisser à demi les paupières, peut-être à cause de la lueur trop vive, peut-être aussi à cause des flocons poussés par le vent et qui commencent de tomber d'abord clairsemés comme les dernières marguerites de juillet puis de plus en plus serrés, de plus en plus étranges, tuant peu à peu les bruits, le ciel même, invitant au sommeil dans une nuit sans oiseaux.

II

14.— What is the matter?

— Je suis à un tournant de ma vie...

— Mais c'est tous les jours pareil!

— Pourtant je sens que, cette fois, ça tourne fort. Peut-être même n'est-ce pas un tournant, peut-être suis-je au bout du trajet et que derrière le mur que j'aperçois, peut-être est-ce le vide, le cul-de-sac...

Je le dis sans y croire. Tu le sais aussi bien que moi. Mourir pourquoi? Nous avions une cuiller d'argent et une tasse ciselée à notre naissance nous attendait. Depuis qu'avons-nous fait? S'attendrir, ne pas s'attendrir. Se donner, se reprendre. J'ai longtemps joué le jeu, et j'ai je crois mal joué.

Ce qui me tue c'est que je ne sais plus ce qu'il y a au bout du voyage, à quelle gare... alors j'ai bouclé la boucle: nous étions partis d'ici, ici je te retrouve. Bonjour Patricia.

— And now what?

15. Au premier week-end nous nous étions contentés d'élans passionnés sans jamais aller jusqu'à faire l'amour. Je redoutais les conséquences de ce geste qu'on se disait — entre garçons — dans les ruelles, si simple ; si difficile par ailleurs quand on tremble de tendresse et de désir. Patricia m'avait bien amené sous le kiosque à musique au beau milieu du parc, et derrière les parois ajourées, faites de lattes de bois entrecroisées, nous nous étions pelotonnés l'un contre l'autre, en silence, nous serrant nous relâchant sans nous étreindre vraiment, nous essoufflant puis nous étouffant d'un baiser plus long plus langoureux qu'au cinéma, rassurés sûrement par la présence dans le noir d'autres couples qui gémissaient (peut-être tout aussi niais que nous). Mais ces heures à se rouler dans la poussière n'avaient satisfait ni nos sens ni l'appétit curieux que nous avions l'un de l'autre.

(Encore aujourd'hui je n'arrive pas à m'expliquer ce besoin que j'avais d'une femme qui me fût à ce point étrangère. A cette époque d'ailleurs je me plaisais à répéter machinalement en baisant la pointe de son sein : une peau nordique, puis promenant mes lèvres sur son visage : des yeux du nord, des cheveux d'un blond nordique, une langue du nord, comme si pour le prix d'un tel mannequin j'allais pouvoir m'acheter une identité.)

Quelques semaines plus tard, Patricia me faisait louer une chambre dans un des motels les plus luxueux du Lake. Tout y était toc, mais toc de bonne venue, du faux bon goût au mètre carré. Mur à mur, des tapis noix de coco. Face au lit du bois pressé teint noyer. Des plafonds insonorisés par des briquelettes blanches et poreuses. Une salle de bains qui aurait satisfait une famille de douze, le samedi soir. Et puis un peu partout, à côté des lampes, au-dessus des commodes : Dufy ou son frère. La reproduction de qualité, le matelas *Simmons* avec des hublots pour laisser passer l'air ; devant le lac, des fenêtres grillagées. Le chant des chouettes et les cris des effraies dont je n'ai jamais su s'ils étaient réels ou si la nuit aussi avait sa vie artificielle (on pourrait imaginer un Syndicat d'initiative qui aurait fait disposer, un peu partout, des haut-parleurs dans lesquels, dès le coucher du soleil, on ferait crier les grillons et les chauves-souris, sur disque), *Sounds to dream by,*

16. Patricia m'a laissé seul. Je gribouille des notes sur une tablette de papier jaune. Dans la marge je dessine des fleurs, des fusées, des soleils, des attentes. Patricia m'a laissé seul. Et sans journaux encore. La chambre est blafarde. Combien d'années la police met-elle pour oublier un dossier ? Cinq ans peut-être...

17. Ce matin nous sommes allés jusqu'au champ d'aviation. Nous aspirions, tout en marchant, les narines serrées, à demi closes, un air glacé et secret qui

pinçait les poumons. Vue du haut des airs, à l'arrivée, la ville semble un jeu de cubes de couleur qu'un enfant distrait mais ordonné aurait oublié dans la neige: or, tout à côté de l'aéroport, l'effet est presque identique à seulement marcher dans les rues: de minuscules pavillons, comme des cabines de guet abandonnées, sommeillent, protégés par les énormes bourrelets de neige qu'entassent les souffleuses après chaque tempête. Nous parlions de vérité, je crois, mais Patricia coupa court à la discussion pour me conduire à la tour de contrôle où trois techniciens qu'elle connaît dirigent le va-et-vient somme toute indolent des réactés.

— Charlie (disait Patricia en faisant des gestes comme au vaudeville) c'est le bon Dieu, tu vois; il dirige du haut de son nuage électronique la circulation et le trafic interstellaire (Charlie riait, disant goddam why don't you speak English Patricia), il n'a qu'un mot à prononcer pour épargner des vies, il n'a qu'à se taire et cent personnes s'écrasent.

(U.P.I.) Un aérobus Caravelle de la compagnie Swissair a explosé en cours de vol et s'est écrasé en flammes dans la région de Zurich, ce matin, entraînant dans la mort les quatre-vingts personnes qui voyageaient à son bord. La police a confirmé qu'il n'y avait aucun survivant.

L'avion qui venait de décoller de Zurich à destination de Rome s'est abattu près du village de Duerrenaesh, à une vingtaine de kilomètres de la ville, vers sept heures quinze. Des témoins ont déclaré qu'ils avaient entendu une formidable explosion avant la chute de la

Caravelle. En touchant le sol, l'appareil a creusé un immense cratère et les débris ont été retrouvés à une très grande distance du lieu de l'accident. Le feu s'est communiqué à deux fermes avoisinantes, mais les pompiers ont réussi à maîtriser rapidement les flammes.

Le porte-parole de la compagnie a déclaré : « Tout semblait normal au décollage, mais cinq minutes plus tard nous avons perdu tout contact avec la radio et l'avion a disparu de nos écrans de radar. »

Parmi les soixante-douze passagers se trouvaient vingt-deux couples du village de Humlikon qui se rendaient à Genève en voyage organisé par la coopérative agricole du village. L'accident a ainsi laissé plusieurs orphelins. Un Américain, un Israélien, un Egyptien, un Iranien et un Belge étaient également à bord de l'appareil.

A l'aéroport de Kloten, on signale que le temps était beau quand l'avion décolla et que les vents étaient légers.

— Et puis tu vois là-bas ces petits avions militaires très élancés, très polis, très fermés sur eux-mêmes, très comme des sexes au fait, eh bien ça, ce sont les anges. Charlie comme Dieu le père place ses anges dans le ciel et il les fait voler ! Oh Charlie you're so *sweet*.

Quand nous sommes redescendus, il était près de midi déjà. Les autres seraient sur la butte à cette heure.

— If I found love in a motel maybe my daughters (if I have any) will make love in a *jetel* some day...

Il ne lui arrive pas souvent de s'attendrir de la sorte et de penser à d'éventuels enfants. Il a suffi de quelques fillettes dans la rue (qui le poing fermé chantaient *Inimi)* sur le chemin du retour. Calée dans mes bras au fond du taxi surchauffé, Patricia, les yeux clos dans le soleil vif, chantonne à son tour des airs d'opérette qu'elle aurait appris à Broadway.

18. Aussi avait-elle voulu chanter tout le temps pendant les jeux de l'amour et du hasard, entre nos baisers fermes, nos salives lentes et nos mains qui cherchaient à lire en braille le corps aimé. Deux fois, trois fois peut-être, nous nous sommes retrouvés sous la douche tiède. Déjà, elle avait cette habitude de faire mousser le savon sous ses seins, dessinant sur son corps d'autres signes, se transformant en affiche chinoise. Au lit, tout son répertoire et South Pacific et Porgy n' Bess y passa dans la nuit.

Couchés dans le sable, le lendemain matin, la chaleur nous engourdissait et nous plaquait contre le sol. J'avais des gestes pâteux, enfarinés. Comme une fourmi prise dans du chewing-gum, au soleil.

Patricia, un mouchoir bleu sombre roulé en saucisson et placé sur ses yeux, offrait tout son corps à la lumière qui éclatait de partout, blanche, blanche, blanche comme s'il lui manquait des demi-rayons, des ultra-quelque chose, comme si d'avoir traversé cette atmosphère elle en avait perdu les teintes qu'on lui connaît au spectre. Crue, comme si le ciel était taillé dans un cœur de céleri.

Vers midi, nos peaux chaudes et humides, étourdis de tant de lumière, nous n'eûmes même pas le courage d'aller jusqu'au lac (the water is cold but once you're in it...). Nos pas mal assurés dans des sandales qui martelaient le trottoir de bois peint, nous sommes retournés à la chambre y chercher un peu de fraîcheur et, dans le lit refait, nous nous sommes endormis côte à côte, pour la première fois. Cette chambre, ce long rectangle de tapis de laine bouclée, nous passâmes le plus clair de notre temps à y dormir ou à y jouer.

(Vers midi, la peau froide et asséchée, étourdis par tant de lumière, nous n'avons pu aller à la place du Tertre. Nos pas mal assurés dans des bottes fourrées, sur un trottoir de glace à peine rongée par le sable et le sel, nous sommes revenus à la chambre dormir côte à côte dans un peu de chaleur.)

— Et Madeleine ?

— ...

— Tu ne veux pas répondre ?

— Ce serait inutile.

— Cet automne-là, la gendarmerie est venue jusqu'ici, tu...

— Cela ne m'étonne pas.

— On te soupçonnait d'être dans un gang international de trafiquants, d'avoir...

— Ridicule, tu te rends compte !

— Who knows ?

— Ils sont revenus depuis ?

— Non. J'ai reçu une convocation, puis on a annulé, puis plus rien.

— Quand même bête! La vie, la vie vraie! Ton lit, ta chambre, l'amour, nos voyages, Madeleine, quelles conneries! Jésus! Tu es bien sûre qu'il n'y a pas, quelque part, *pour nous*, quelque chose d'important à faire, de sérieux, de valable? Je rêve de pouvoir un jour m'oublier; dans l'armée, j'oubliais à force de fatigue, dans tes draps j'oublie à force d'amour et de sommeil, mais il faudrait pouvoir, est-ce que je sais moi, oublier en ne faisant rien ou encore...

19. Je voulais lui parler de la mer et des idées qui me sont venues à Veracruz, un matin, au café de la Plaza, tout en buvant une bière noire et lourde; mais Patricia s'endort comme un chien de douze ans, luttant en vain contre le mouvement de ses paupières; les objets tournent, s'embuent, elle tombe de sommeil dès que je lui parle d'hier ou de la vie *ailleurs*, que j'aurais menée sans elle. Quand elle a de nouveau ouvert les yeux, elle s'est habillée rapidement sans dire un seul mot puis, dans le bruit même de la porte qu'elle fermait, m'a crié:
— Je vais à la banque, nous en avons besoin.

20. Dehors le soleil fait des dessins et des taches dans les rues: le pavé, ici et là, apparaît, encerclé de sel mouillé, noir (ou gris s'il est au vent) dans la neige

durcie. Le printemps viendra peut-être en une seule bourrée.

21. — Here ! nous pouvons tenir quelques semaines encore.

— Ce sont tes économies ?

— Non, pas vraiment, des sous quoi.

Elle hausse les épaules, lance sur le lit une bouteille.

— Money means nothing. I have more than you can spend.

— Ça ne te dégoûte pas d'en avoir tant ?

Ah, les idées généreuses, les petits Chinois tout de suite, comme ça ! Moi je mange à en crever, toi tu crèves de ne pas manger, c'est peut-être ça, ma maladie ; toi, tu es le capital, mon peuple en a assez souffert et j'ai pour maîtresse la fille d'un ennemi, ça fait très fin de siècle ; jusqu'où pousserai-je le romantisme ?

Ce n'est pas vrai : mes compatriotes mangent à leur faim. Mais toi, tu peux te saouler la gueule et leur cracher dessus ; vous êtes les plus forts, oui vous gagnerez, oui nous sommes lâches, Patricia, viens déshabille-toi, viens au lit éteins la lumière fais le vide j'ai besoin de vide de noir de désir tiens lèche ma main.

22. Au plafond par intermittence des rais d'abord en forme de poires, puis de couteaux, s'allongeaient

subitement chaque fois qu'une voiture quittait King Street pour venir s'engouffrer dans le Lakeshore Drive, dans un cri de pneus écrasés par la vitesse, le coup de volant brusque, la chaleur du macadam. Les jeux des phares, nos cigarettes allumées avec lesquelles nous faisions des signes comme l'aide-mécanicien la nuit sur les pistes d'envol (cette sensation incroyable de solitude que j'ai ressentie au petit matin sur le ciment des pistes de Glasgow, cet homme au loin, un béret ou une casquette noire sur la tête, les deux bras prolongés par des tubes incandescents et qui appelait les avions comme nous appelons les oiseaux), la lueur d'un œil, du blanc de l'œil parfois, des taches dans l'obscurité épaisse et le silence...

(Seul, se retrouver seul comme un enfant abandonné par son équipe et qui ne peut plus jouer, seul, face au vent vert et frais des collines rasées de Glasgow en Ecosse où l'on parle anglais, bien entendu ; dans le monde entier, on parle cette langue, je la manie assez bien moi-même merci ; vous êtes du Canada ? Comment faites-vous pour ne pas être Américains ? *We have the same Queen,* susurre le vendeur de cashmere *duty free ;* The same Queen mon cul, nous on laisse ça à Match, nous n'est des rebelles nous n'est seuls contre le Pentagone, et la Chambre des Lords et le bon goût et la République et Westminster et Ottawa !)

Le dimanche, en fin de journée, nous devions rentrer chacun chez nous comme des écoliers ; la route était longue qui passait par cinquante villages où l'autobus devait s'arrêter, attendre, repartir, je m'asseyais à l'arrière près du moteur et la tête contre la glace tirée je m'assoupissais. Patricia devait prendre l'express qui seul passait par Winnipeg. Et c'est pour se quitter le moins possible qu'elle me fit acheter à crédit une MG vermillon dès la fin août:

la vente des douilles de cuivre ne suffisait plus et je me mis à écrire des reportages indiscrets, sur la vie du camp, qu'achetait l'hebdo du lieu *(The sentinel?...)*, puis je pris l'habitude de me faire payer par les uns pour ne pas écrire certains articles, par les autres pour parler d'eux, ce qui rapportait trois fois plus que les textes eux-mêmes... (Patricia n'a jamais su quel mal je me donnais pour satisfaire à ses caprices, et l'eût-elle deviné qu'elle se serait détournée de moi. L'argent depuis toujours lui était un objet familier, nécessaire, usuel. Son père, juif tchécoslovaque qui avait établi un réseau de stations-service, sa mère, Irlandaise, héritière d'un commerce de tissus, l'avaient élevée dans un luxe solide fait de sécurité et de beauté. Patricia, à cet héritage, avait ajouté un goût certain pour l'aventure et une insouciance naturelle à son âge. Je venais d'une famille beaucoup plus modeste.)

Dans la MG, à vitesse réduite, nous faisions le tour du Lake, passant d'abord par les rues achalandées puis par les ronds-points et les boulevards ; c'était un jeu subtil où il ne fallait pas que l'on puisse définir qui des piétons, ou de nous, gagnait; le spectacle était pour nous sur les trottoirs, ces estivants en savate, pour les autres ce devait être Patricia qui, dans un pull vert pomme, les seins bien moulés comme s'ils étaient de plâtre, la tête sous un large plateau de paille orné d'un ruban de velours noir, mettait le nez au vent entre les deux cercles roses de ses verres fumés.

Nous faisions aussi partie d'un groupe privilégié qui se réunissait à heures fixes, suivant la courbe de l'ennui prévisible, au *drive-in* restaurant construit à flanc de coteau, à l'opposé du village, plus au nord, où l'on ne pouvait se rendre qu'en voiture ou peut-être à cheval, à condition de passer par les bois et les collines dans un raccourci infesté de moustiques.

Patricia devenait dans ce groupe aussi équivoque que toute autre adolescente, riant à propos de tout, nerveusement, à propos d'elle, de moi. Ils m'appelaient Frenchie, nous vidions en grimaçant des bouteilles de genièvre ou de scotch volées par les plus audacieux. Assis sur les marchepieds des voitures, le corps penché en avant, dans la main une poignée de cailloux chauffés par le soleil, nous parlions peu sans crier. De temps à autre, une fausse bagarre, des bourrades, des hurlements à partir de rien, du nom d'un *high school* ou d'un *college* inscrit au dos d'un pull de coton blanc, du nombre de pistons dans un moteur, de la longueur d'une verge moyenne.

(Dès le milieu septembre, cependant, ils rentrèrent tous chez eux, nous abandonnant le Lake comme un immense parc inhabité et ce silence vrai d'une fausse forêt et cette complicité des hôtels fermés dans une lumière d'après-saison.)

23. Nous sommes étendus tous les deux, figures rosées : la bouteille que Patricia avait apportée est vide, nous en avons terminé de nos danses primitives, et couchés sur le dos, le souffle court, nous fermons les yeux.

Dans la nuit, les pneus lancent des appels inquiets, des crissements aigus ; on entend une voiture qui glisse sur la glace et qui ne peut monter la côte du côté des Grenadiers Guards ; impatient, le chauffeur fait rouler au maximum le train arrière, les roues sifflent puis une autre voiture cale, d'autres lui répondent d'en bas de la pente, du milieu ; à peine, parfois, le klaxon continu d'un train qui dépasse le viaduc, là-bas...

(Or dans les huttes de palmes le vent seul faisait siffler les perroquets ; parfois à la pointe de l'aube des chiens nerveux me tenaient éveillé,)

24. — Patricia, les yeux au plafond, sourit :

— Il n'y a pas de jeux de lumière ici...

— Si tu fermes les yeux.

— Il n'y a pas de jeux. (courroucée) Tu es venu en pèlerinage ?

Elle s'est soulevée sur le côté, son bras dessinant un triangle blanc sur l'oreiller.

— Tu es venu reprendre tes habitudes, ou peut-être allumer un lampion avant de repartir ?

— Je suis venu parce que c'était l'hiver. Voilà.

(Ni pour le lampion, ni pour l'hiver : j'avais peur de

mourir seul là-bas comme un serpent sur la route, comme un rat empoisonné, saoul, gavé, ridicule. Je ne savais plus où aller, alors je suis venu ici, c'est simple. Reprendre contact avec la vie peut-être, avec ton corps, par celui-ci recoudre hier et demain... Cela ne m'était plus possible de continuer de vivre avec seulement des souvenirs, des gestes amorcés, des bribes d'inquiétude.)

— Toi, inquiet ?

— Oui moi.

— You're joking man.

(Je me marre peut-être, mais c'est tout intérieur : ça me prend à l'œsophage, ça secoue l'estomac, la panse, et jusqu'aux intestins qui en subissent des soubresauts... je ne suis plus un gosse et pourtant si un conférencier se met à pontifier sur le sens de la vie, j'écoute religieusement. Y a un déclic qui manque quelque part, qui m'a manqué ? Bon. Je vais, je vis, je fais des choses ni moyennes, ni petites, je meurs.)

— Mais la vie *future* c'est encore plus con que tout.

— Tu dis ?

— Je dis que les anges, je les emmerde.

Patricia roule sur elle-même : elle s'est déshabillée ce soir, petit à petit, avec une langueur insensée comme si elle devait me séduire ou mourir sur le lit : elle colle à nouveau sa peau contre la mienne, joue les ventouses de chair luxueuse, retombe sur le drap, fait la morte puis se réveille lentement, un long frisson au ventre, se déroule, se plaint, se cabre.

Elle joue, se relève, allume une cigarette, rejette le paquet, me regarde à peine, amusée :

— Au printemps dernier, je me suis mariée.

— Je ne savais pas.

— C'était un Anglais. De Londres ou Liverpool. Je ne le lui ai jamais demandé d'ailleurs ; il est parti seul en voyage de noces, dans un carrosse de la B.O.A.C.

— Tu ne l'aimais déjà plus ?

— No.

— Et puis ?

— Ça n'a pas eu trop de conséquences : j'ai été menstruée ce mois-là comme à l'ordinaire. Je l'avais épousé pour renouer avec mes racines anglo-saxonnes, enfin...

— Et puis ?

— C'est embêtant des racines : ça fait trébucher. (Falling down falling down...)

Patricia court de la chambre au salon en battant des ailes comme un poulet qui s'enfuit, puis elle revient l'air sérieux, contrit même, se love dans mes bras, autour de mes hanches, se fait toute petite fille.

— Ce qu'il aurait fallu, c'eût été nous rencontrer plus tôt.

— Cet été-là ?

— Non je veux dire à quatre ans, comme ça. A l'âge des *nursery rimes*... Comment dit-on *nursery rimes* en français ?

— Comptines,

Un deux trois quatre ma petite vache a mal aux pattes...

— *Jack and Jill went up the hill to fetch a pail of water.*

— Belle pomme d'or je tire ma révérence...

— *Inimi nimaïnimo, catch a nigger by the toe, if he...*

— Ah! celle-là nous la chantions aussi.

— Pour hide-and-seek ?

— Oui, je crois... Ma mère nous l'avait apprise au moment où les desserts étaient rares et qu'il fallait choisir autrement qu'à la courte paille ; c'est toujours utile une comptine, pour choisir un dessert ou le souffre-douleur.

(J'ai peur de mourir tout à coup, j'ai peur, là, au creux du ventre, de crever sans avoir fait un seul geste qui soit humain, sans laisser derrière moi autre chose que moi qui refroidis, moi qui pourris, moi humus dans le roc et la glaise ; tu te souviens de cet accident stupide. Une semaine à l'hôpital. Notre anxiété : les murs de ciment vert, les plaques à l'entrée *(The Royal)* commandant le silence, l'ascenseur, ce bruit métallique des grilles huilées, l'air ennuyé des internes : ta tête sur l'oreiller, tes cheveux blancs — tu venais de les teindre — les fleurs au-dessus du fauteuil mou dans lequel je passai trois jours à craindre que tu n'ouvres jamais plus les yeux.)

Aujourd'hui je suis en vie, on sait que je suis en vie. Demain je meurs : qui saura que j'aurai existé ?

— Le marchand de journaux, by God!

— Mais tu ne comprends...

— Man at this time of night when one should either drink or make love!

Les draps ont sauté et Patricia a couru vers la fenêtre ; son corps immobile, dans le rectangle nu qui laisse filtrer la couleur pâle d'une nuit de neige blafarde comme un marbre poli, ancien, son corps penché vers le jour, immobile, rêve, puis, à mesure que la lumière se lève, à contre-jour, devient une silhouette noire, comme endormie.

(Je ne devrais pas l'impatienter de cette façon.)

III

25. Septembre vint, telle une foire à édifier, silencieuse dans ses boîtes encore fermées, dans ses toiles aplaties puis roulées ; telle une place du marché, un lundi matin, vide et tranquille ; avec des comptoirs d'arborite et des supports de métal qui ne supporteraient rien, qui attendraient ; avec des feuilles sèches au bord du macadam (tout au long de la route et jusque sous les balcons, amassées là par le vent de la nuit sans doute).

Nous venions encore au Holiday Motel, même si dix couples à peine jouaient aux touristes et si la population entière du Lake avait abandonné l'oasis dès le début du mois : nous continuions d'arriver dans la nuit du jeudi, dans la pluie ; et les feuilles des arbres sur le pavé mouillé faisaient glisser la voiture à chaque tournant ; il fallait tenir le volant à deux mains, il fallait rouler dans des régimes de compression continue pour coller à la route puis, subitement, demander l'impossible au moteur, avaler les côtes à peine éclairées par des clignotants de sécurité.

La ligne blanche au beau milieu de l'asphalte m'hypnotisait ; fascinante route en noir et blanc : si j'avais sommeil, Patricia chantait à voix haute, elle ironisait, me racontait sa semaine et ce qui avait passionné l'opinion des élèves à l'université. Elle me racontait ses flirts du lundi matin, alors qu'elle faisait le campus comme les putains font la rue Saint-Denis. Elle me maniait au creux de son imagination, pouvait en deux mots me rendre jaloux ou attendri. Nous arrivions au Lake dans un tel état de fatigue que nous nous sentions souvent étrangers l'un à l'autre.

26. Cela me revient clairement : nous dormions le lendemain jusqu'au milieu de la matinée. Le reste de la journée, nous étions à cheval dans les cours, les jardins, les parcs, les terrains, hier encore *private property* (de petites affiches blanches, des lettres noires, carrées), à galoper, trotter, sauter des clôtures, labourer des pelouses trop tendres pour les sabots des montures où la terre noire se devinait sous l'herbe trop verte.

Et les chevaux transpiraient à peine, tant l'air automnal était frais.

(Parfois, nous chassions le canard sauvage et l'oie du Canada qui profitaient du Lake pour s'offrir un répit dans leur lent voyage vers le sud des U.S.A. Mais il fallait se lever de bon matin. Au fond d'une barque, le fusil entre les genoux, nous buvions du cognac au goulot d'une bouteille thermos-à-café, nous sentant, à mesure que le soleil se levait, partie intégrante d'un univers incroyablement humain, nôtre d'une manière insensée, jusque dans les cris des loriots, des étourneaux, des grives, jusque dans le vent qui sifflait là-haut entre les cimes des sapins bleus, jusque dans le goût de cette cigarette qui semblait seule source de chaleur, et ce coup de fusil raté et ces bruits d'ailes comme des pas pressés, cette fuite étourdie, ce cri de chien des oies qui ont la gorge rouillée de colère,)

Le soir, nous nous retrouvions entre survivants, vacanciers ou propriétaires qui se reposaient des vacances, dans le *Grill* morne, infect, du Chinois (décoré de jonques en bambou qui ne partiraient jamais pour aucun voyage, bien attachées au plafond et remplies de fleurs artificielles). Disparues les séances de cinéma, les danses organisées, la plage chaude où chacun flânait avec gravité ; seuls, quelques êtres qu'une solidarité inavouée réunissait ; seule, une entente tacite pour se retrouver à heure fixe au Nanking Café ; seules, des phrases qui restaient en l'air comme la fumée des cigarillos.

(Nous n'avons jamais vraiment parlé, vidé une question, amorcé une discussion même politique, je crois. Comment aurions-nous pu, nous qui venions de nulle part ? Dispersés en un pays où l'espace est si vaste, l'horizon si libre, nous n'avions eu de repos que le jour où nous nous étions retrouvés autour de la table d'un restaurant chinois, sous prétexte de jouer aux cartes devant des cafés fumants. Enfin rassurés l'ouvrier polonais et le paysan ukrainien, l'ingénieur boche et la coiffeuse brésilienne, le pasteur écossais, Patricia et moi le Canadien français, et Carl le vendeur, nous étions là face à face; nous étions le Canada entier autour d'un rectangle recouvert de linoléum jaune, dans une odeur de friture et de sauce à la cerise. Muets. Monosyllabiques.)

(Je n'avais qu'une consolation: trichant un peu aux cartes, je réussissais en une soirée à gagner suffisamment d'argent pour payer la note du motel et même plus.)

Quand nous quittions la table, c'était pour marcher très vite à travers le parc, vers notre chambre, c'était pour faire l'amour, c'était pour l'eau tiède de la douche. (Une seule fois, je trompai Patricia avec la Brésilienne qui m'avait demandé de l'accompagner, prétextant une violente indigestion qui devint dans sa chambre une fringale indécente pour mes parties sexuelles qu'elle mordilla comme du céleri; pour m'en tirer à bon compte, je dus la renverser sur un fauteuil qui n'avait rien de confortable, puis m'enfuir pendant qu'elle passait dans la salle de bains; Patricia m'attendait toujours chez le Chinois, nous mangeâmes des *egg rolls* en silence, elle chantonnait des airs américains, me disant qu'elle rêvait d'habiter New York un jour, ou Chicago peut-être (c'était moins loin), qu'elle se *mourait* de côtoyer des gens, des millions d'hommes et de femmes dans une ville surpeuplée, que les Chinois justement...)

27. Une tempête s'est abattue sur la ville sans prévenir : en quelques heures à peine, les rues sont devenues des champs de neige molle. De gros flocons collent à l'écorce des arbres du côté du vent, coiffant les passants de bonnets identiques : des êtres asexués avancent dans une sorte de brouillard blanc, luttant contre le vent, penchés de tout leur corps dans un effort que rend inutile la glace sous leurs pieds. Silencieux.

Ce peuple est silencieux tout l'hiver. L'été venu, il a désappris à parler. La lutte est simple : ne pas avoir froid. Les uns boivent du genièvre chaud, les autres dorment, hivernant à cœur d'année.

28. Nous sommes toujours nus, au chaud, sous cinq couvertures, mais Patricia peste contre les tempêtes : ni elle ni moi n'avons le courage d'aller fermer la fenêtre restée grande ouverte et par laquelle le vent s'engouffre, accumulant sur le tapis une banquise modèle réduit que même la chaleur du calorifère ne réussit pas à faire fondre.

— Si tu m'emmènes manger du soleil et des pâtes, je consens à me lever et je ferme la guillotine ?

Patricia est revenue vers le lit les mains pleines de neige, m'en a jeté à la figure, sous les draps, et la neige sur nos corps s'est mise à fondre, tout à coup ; j'ai bu l'eau qui coulait de son épaule et sur sa peau glacée j'ai cherché à épouser son sang qui bouillait.

— Tout cela est frivole, ridiculement *frivole !* Nous

sommes si *fragiles*, il y a tant de choses graves dont il faudrait s'occuper, tant de fascismes ! Tiens, je crois que je vais me faire voleur de grand chemin, embrasse-moi. (Je vais mourir je sais que je vais mourir ce soir cette nuit ou un autre matin peut-être, mais de plus en plus souvent cette image de l'enfant que j'étais que je ne suis plus, qui me pousse dans le dos : je deviens *vieux*, je suis usé, on me croise les mains sur la poitrine, on récite des prières dans mon dos, on sanglote comme si)

...Patricia est un puits de plaisirs : elle gémit d'aise dès que je la pénètre (ce n'est pas tant mourir qui m'effraie comme de laisser *tout cela inachevé*. Mes bonnes intentions et mes mauvaises pensées, mes amours et le choix politique, qu'est-ce que je suis venu fiche ici, ce n'est plus mon pays, cela l'a-t-il jamais été ? Patricia n'est qu'un souvenir dès que je suis assouvi, cet univers étrange...)

— Tu t'habilles ?

Et *ça*, au creux de l'estomac, qu'est-ce que c'est ? La peur, la grande chienne de peur, l'énorme chiasse, le trou devant soi : être inutile, je suis inutile, tu es inutile.

— Je t'attends.

Tic-tac-tic-tac. A la prochaine guerre n'aurez pas besoin de moi ; je me ferai cuisinier, je préfère la pomme de terre à être rissolé vivant ; le lance-flammes d'un ennemi distrait, très peu pour moi ; les épluchures, la soupe au chou, tant pis pour la patrie, je préfère les radis.

29. Dehors : la neige. Tu fais un trou dedans, comme pour pénétrer dans un igloo et puis tu tombes tout à coup en plein cœur d'Italie.

— Tu te rappelles les cartes postales ?

Dans notre chambre du Holiday Motel, nous avions passé un vendredi entier à regarder une collection de cartes postales que son père lui avait donnée. Patricia me parlait des villes, des monuments *(les obélisques comme des fusées pétrifiées)*, me racontait la couleur des pierres et l'intensité de la chaleur, comme si elle avait vécu sa vie entière en Asie ou en Europe. Nous inventions des batailles, des lieux de pèlerinage, des plans de ville. Cet avant-midi-là, nous fîmes l'amour à Tokyo ; dans l'après-midi, c'était à Berlin, et Patricia chanta en allemand jusqu'à ce que nous tombions sur une carte de Vancouver, Déjà, hélas, nous étions de retour au Canada.

30. (J'ai fait un cauchemar absurde : quelqu'un, un ennemi peut-être, ou un dieu indien, ou tout simplement un serpent des lacs, avait retiré le bouchon au fond de l'étang et le Lake, mis à nu et à sec, offrait son ventre de vase aux passants ahuris. Ici et là, agonisaient des barbottes dans de grands coups de reins. Peu à peu, la vase prenait les empreintes des truites et des brochets, comme si le fond du Lake devenait à ciel ouvert

une page d'illustration des périodes révolues. La nôtre, cette fois.)

31. L'automne se fit plus sec, la lumière plus précise et seules les aiguilles vertes des conifères rappelaient la chaleur et l'eau. Nous abandonnions souvent la voiture dans un chemin retiré pour marcher lentement, mains dans les poches, côte à côte, car c'était alors l'existence de Dieu qui nous préoccupait : cela se dissertait, se discutait mieux à pied, nous étions ainsi plus à l'aise, jouissant de ce plaisir raffiné qui est de musarder, heureux de l'ardeur soudaine des rayons d'un soleil qui perçait tout à coup entre deux nuages épais comme de la mousse de savon. Tout en parlant, nous mâchions un brin de seigle, nous arrachions des éclats aux poteaux de téléphone, aux arbres, aux piquets de clôture, heureux de pouvoir parler librement, fiers de nos corps souples, puissants, préoccupés de nous-mêmes, les muscles tendus.

S'ajoutait (pour décupler ce plaisir déjà intense) le souvenir de marches semblables que j'avais faites dans les sentiers de feuilles et les chemins de terre battue que l'on trouve tout au long du fleuve, en aval de Sorel, près de la petite maison verte et blanche, propriété de mes parents pendant deux étés déjà si lointains. Mais l'impression du *déjà vu*, du déjà senti (cette sensation soudaine de vertige que l'on ressent parfois devant un illustré : une photo d'hier, d'un lieu que nous n'avons pu habiter, mais qui nous semble familier autant que notre enfance), jusqu'à cet émoi au bord des lèvres à cause d'une couleur *déjà* perçue ailleurs, auparavant, hier, dans un bruit identique, autrefois, cet automne-là, décuplait mon attention.

Et Patricia, très belle, très harmonieuse (harmonieuse Patricia, c'est de ton corps qu'il aurait fallu tirer le nombre d'or), les joues à peine roses, le teint pourtant mat malgré le vent, citait avec difficulté Gide qu'on lui avait servi en leçon de grammaire au cours de français. Elle parlait à haute voix d'un Etre suprême, moi je n'avais, je crois, de souci que pour elle.

32. A la fin de septembre, aussi, je décidai d'abandonner le Chameau et son régiment. Bon. On m'avait appris à manier le tir de certains canons avec un triangle idéal et deux points de repère. Mais de ce séjour au service du Canada, je garderai surtout une aversion aggravée pour la trigonométrie et l'esprit colonial. Ayant touché ma solde, et celle de quelques camarades distraits par l'alcool, je m'empressai de changer d'uniforme, et, portant complet rayé noir et blanc, je choisis la ville comme premier refuge. Patricia me persuada facilement d'habiter chez elle, tout heureuse qu'elle était de m'avoir en somme à sa disposition, tant pour compléter ses devoirs de français, que pour la nuit satisfaire sa sensualité toujours en éveil.

33. Octobre vint. Je commençais de m'ennuyer ferme dans ces rues toujours semblables — d'autant plus que je n'avais que peu d'argent — dans cette cité médiocre où il était inutile de vouloir différencier les banlieues du cœur de la ville, tant les surfaces de briques d'un roux terne s'affichaient en rapports identiques. Et puis ce crachin, cette fumée dans la brume, cet air maussade de foule sans fard, sans privilège, sans amour...

Un jeudi, nous retournâmes à l'oasis, mais l'eau du Lake avait déjà gelé près des roches ; les chaloupes étaient tirées sur le sable, renversées comme des jouets, et dans toutes les fenêtres, des volets de bois gris comme des bouchons. Plus rien ; des feuilles mortes, quelques suisses enterrant partout des noix inutiles, un gardien ennuyé. Nous rentrâmes le soir même.

Le lendemain matin, je vendais ma voiture, j'achetais une bague à Patricia, et avant que le *Week-End Garage* ne s'avise qu'il me restait dix-huit traites à payer, je décidai de partir. Evidemment je l'invitai à me suivre à Montréal, elle mordit dans ce projet comme dans des toasts beurrés.

Ses parents me prenant pour ce que je n'étais pas sans doute (Patricia m'avait présenté comme étant un professeur de passage à l'Université) ou peut-être voulant se débarrasser d'elle à bon compte (comment m'auraient-ils cru puisque j'avais l'air si jeune, beaucoup plus celui d'un étudiant que celui d'un professeur, et à l'université encore), acceptèrent à brûle-pourpoint qu'elle s'inscrivît à McGill sûrement et à des cours privés de langue ou de musique ou même en art dramatique dans une école spécialisée de Montréal ; ils s'en fichaient, nous aussi.

Le samedi fut fiévreux. Patricia acheta en pagaille des souliers, des jupes, des blouses, des tailleurs, des pulls, des manteaux, plus prudente en cela que moi puisqu'elle laissait la note à son père ; elle nous promena d'une mercerie à l'autre, d'un taxi à etc.

(Tout à l'heure elle m'a demandé ce que je comptais faire, si j'allais m'incruster, demeurer, travailler peut-être. Je lui ai répondu que je n'en savais rien, que je n'avais certes pas l'intention d'aller dans un bureau de neuf à cinq heures, pour rentrer à la maison, le journal à la main, comme un chien avec son os dans la gueule... c'est pourtant la ville rêvée : cent mille bureaux cherchent un gratte-papier pour l'asseoir sous des néons jaunes et lui faire additionner les primes d'assurance vie, d'assurance feu, vol, automobile, accident, cataclysme, gel ; car ce peuple affamé de sécurité paie fidèlement les petits coupons verts qui ont servi à édifier ces étranges gratte-ciel de ciment, percés timidement de fenêtres minuscules, qui ont servi surtout à l'asservir, puisque l'argent est immédiatement réinvesti dans l'exploitation industrielle, et nous voilà au rouet : l'ouvrier exploité, affamé de sécurité, paie... et puis non. Gratter du papier sous des néons, $ 86 par semaine... jamais ! Enfin, pas maintenant. Je choisirai à temps ce qu'il me faut en effeuillant une marguerite, inimi, nimaïnimo,

Ce n'est pas que je craigne le travail : quand il y eut disette d'eau dans le village, je dessinai le plan d'un système d'irrigation d'après ce que j'avais déjà vu au cinéma et j'aidai les Indiens à construire les canaux, les digues, les écluses, les voies d'amenée, les rigoles de répartition et celles de l'écoulement, de la distribution, les ruisseaux de colature. Pendant six semaines sous un ciel bleu sec, poussiéreux, à établir lentement les dénivellations, les bassins, les appels d'eau ; au fond, l'esclavage...)

(Mais je rêve, aujourd'hui surtout, de me soumettre ; je voudrais être écrasé comme ces voitures que l'on transforme en blocs de ferraille, en masse compacte dans un pilon automatique ; je voudrais ramper. Toujours ce déclic, ici, au creux de l'estomac qui...)

IV

34. Dans les wagons-lits, les porteurs noirs à casquette rouge galonnée d'or tendaient des rideaux kaki, relevaient les banquettes, assouplissaient les oreillers, dépliaient des couvertures à odeur de naphtaline avec des gestes précis, efficaces, qui faisaient songer à une lame de couteau qui s'enfonce... des gestes en rasoir; ce train, qui venait de Vancouver, s'arrêtait deux heures en gare, le dimanche soir, transportant les lettres et les journaux, des bestiaux aussi. Le temps s'étirait, les odeurs se faisaient grasses; patients et attentifs, nous attendions sur le quai de bois huilé le signal du chef de train qui, lumineux, se balancerait au cœur du tunnel. Dans la vapeur chuintante, il fallait faire le plein de glace, vérifier les roues, les freins, la pression d'huile. J'aurais bien passé là le reste de mes jours, dans ce prédépart. Les autres passagers frissonnaient, inquiets peut-être, ou tout simplement peu habitués aux soudains courants d'air qui s'engouffraient entre les wagons. Patricia, heureuse, allait vers l'aventure, avec sécurité en sus, son père l'entretiendrait d'allocations généreuses. Moi...

(Je sens *ce soir,* pour la première fois peut-être, que je vais *repartir.* Je ne sais si Patricia sera du voyage; ni d'ailleurs de quel voyage il s'agit, mais je perçois tout à coup (comme l'oreille un cri rauque) la nécessité de ce départ. Entre elle et moi, tout au plus une certaine complicité, une certaine mémoire; comme si nous possédions chacun la moitié des morceaux d'un casse-tête chinois qu'il me faut à tout prix terminer. Je sens aussi — malgré moi — une question de

— *Vous appelez ça vivre?*

— Qu'attends-tu de plus?

— Je m'use, et mes muscles et mon esprit, et mes yeux; mais que cette usure *serve* à quelque chose, à quelqu'un!

— Tu n'as qu'à faire des enfants.

— Stupid broad!

Mais toi, Patricia, saurais-tu rester celle que tu es, cette page tirée d'entre les couvertures du Seventeen, et devenir femme, cette femme utile...)

35. Couchés l'un au-dessus de l'autre, dans de petits cercueils superposés, à l'étroit, je ne l'entendis dire mot. Je ne sais si elle s'assoupit aussitôt étendue ou si — comme moi —elle se surprit à regarder par une fente du store la nuit qui défilait, poursuivie par les feux, les maisons, les deux phares des voitures qui tentaient de traverser les voies ferrées, et puis, tout à coup, cet énorme trou noir dans lequel on devinait quelques

cimes d'arbres ou encore un taillis, ici, là, un bosquet de bouleaux ou de trembles, puis plus rien. A quelques minutes de la ville nous étions déjà en plein désert, dans un choix d'arbres, en plein *espace,* en pleine savane.

Le claquement continu, sec, des roues contre la jointure des rails finit cependant par donner au wagon un rythme si pur que je m'endormis d'un profond sommeil — d'épuisement sûrement — partageant ma nuit entre une vacuité nouvelle de l'esprit et un cauchemar persistant, régressif, dans lequel je me faisais un devoir de peupler ces terres qui nous entouraient, parcourant l'Europe, tenant sur les places publiques de France et de Hollande des discours que des hommes d'armes venaient interrompre bruyamment, dispersant les culs-terreux attentifs à coups de triques et de pieds au cul; je gueulais: « *L'Amérique vous attend la liberté vous tend les bras la solitude vous appelle vous dormirez dans les arbres et mangerez des sarcelles, des alouettes et des merles...* », puis tout à coup je me réveillais brusquement, pour rien, pour un changement de rythme du wagon peut-être, ou à cause d'un signal mécanique digne digne digne qui se mettait à transpercer la nuit, de crécelles automatiques, de certains passages à niveau, ou encore de ce vide ressenti soudain comme un malaise profond, quand le train sans ralentir passait au-dessus d'une rivière et que le bruit allait s'amplifiant dans la caisse de résonance du pont.

Vers cinq heures le soleil me sortit brusquement du cauchemar qui m'avait repris au moment exact où l'un des bateaux frétés pour le transport des colons quittait Saint-Malo... Je ne pouvais plus fermer les paupières, et pourtant la fatigue refusait de se dissiper, j'étais épuisé au point de craindre des hallucinations. Je restai recroquevillé, haletant. Au loin, derrière un rideau de peupliers, on devinait une route qu'emprunteraient tout à l'heure ceux qui vont de ville en village colporter la civilisation, les brosses Fuller, et les catalogues de Simpson's Sears. Je m'habillai, tant bien que mal, courbé en deux pour enfiler le pantalon et les chaussures. Patricia dormait paisible souriante épanouie. J'allai me poster dans le soufflet entre deux wagons, protégé par des toiles brunes et sales, pour me noyer dans le bruit infernal du tambour et prendre l'air malgré la suie.

(Cela se peut ? Nous menons, me dis-je, des vies en parallèle, comme des pistes de ski dans la neige ; allant jusqu'à telle gare avec tel être, empruntant un chemin semblable avec une nouvelle tête, ou seul, refaisant les mêmes gestes, persuadés qu'ils sont neufs, alors qu'ils sont à peine renouvelés. Comme sur une autoroute à voies multiples et surélevées, et nous sommes dix, quatre, cent millions de voitures à se dépasser, se rejoindre, se rencontrer au casse-croûte — je tiens ma fourchette d'identique façon que je mange avec une autre ou avec Patricia ! — et à reprendre la route après avoir fait le plein... sachant fort bien que les gestes de l'amour, ceux de la haine aussi, de l'ennui, ou même de l'aventure sont en tous points semblables à eux-mêmes...

...les illusions sont de courte durée ; tant pour le

décor (tout est affaire de...) italien ou arménien, tant pour la chaleur, tant pour le bruit, je me perds peu à peu, au fond des couloirs... et dans la rue couverte de neige, balayée de vents qui viennent des quatre coins de la ville, couvrant jusqu'aux cris nasillards des haut-parleurs qui distribuent généreusement des chansons de circonstance, agrémentées de grelots entrechoqués, *little red nose rain deer,* depuis Noël, depuis l'an nouveau, depuis l'enfant que j'étais, que je voudrais tant être à nouveau, confiant;)

36. Accroché à la paroi, j'avais peine à me tenir debout tant le wagon oscillait par à-coups, à la courbe des voies surtout, mais dans mon coin comme un chat buté je humais l'air frais, l'automne, le parfum des feuilles brûlées en tas sur les remblais. De longs paysages s'effilochaient dans l'écran mal proportionné que formaient la porte et la glace tirée : et la vitesse acquise ajoutait une unité étonnante au flou des objets ; les couleurs maigres de quelques érables tachaient le fond sombre des sapins et des épinettes ; plus loin quelques rares pins, des bouquets de cèdres et de mélèzes fichés ici et là, comme piquets de tente, cachaient une terre rousse couverte de mousses tantôt bleues tantôt grises.

Patricia se leva à temps (tout de même) pour que nous puissions prendre un café au buffet d'une gare minuscule qui eût étonné Alice au pays des, pendant que les cheminots faisaient, en dix minutes d'arrêt, le plein d'eau et de combustible. Nous aurions pu être n'importe où, et ailleurs : ces tons neutres étalés sur les murs comme de vieux journaux collés à l'envers d'une tapisserie, ce goût gras du café crème, farineux du pain blanc, et jusqu'à la calligraphie du menu... et dans une étrange lumière bleutée comme une paupière maquillée, par cette fenêtre sale, au-dessus du comptoir on pouvait voir la route qui venait de Saskatoon et qui aboutissait à un monument aux morts (Lest we forget 1914-18 the valiant lads who...), sur lequel un conseil de ville pieux avait fait inscrire sûrement la liste des soldats crevés au champ de bataille de la dernière (Lest we forget 1939-45) et deux noms ou trois peut-être, ceux de gosses de mon âge morts dans une guerre qui n'en fut jamais une (Clarence Campbell, David Bairstow, Michael Petrusky, died in Korea on the 4th of November 1951)... plus loin les marches d'un escalier en ciment, comme des tablettes de pharmacie, comme des gradins de stade menaient aux boutiques donnant toutes sur le Victoria Square. En contrebas on devinait les colonnades (doriques) en bois peint blanc du Masonic Temple, ou peut-être celles de la Canadian Legion (des salles proprettes où le samedi après-midi des dames sans âge ni élégance viendraient tricoter des chaussettes pour enfants-dans-le-besoin, et le soir leurs époux y viendraient à leur tour boire un peu trop à propos de religion, de politique, ou du cul de la fille du pasteur)...

Un insecte bourdonnait dans la salle d'attente, butant

contre la vitre, avide de lumière, soulevait la poussière, s'assommait, reprenait à nouveau son élan...

Somnolent, la tête appuyée sur le dossier de la banquette recouverte de cuir, cédant peu à peu à l'engourdissement serein suggéré par le choc régulier du métal des roues contre le métal des rails, acceptant ce rythme, je perçus alors entre mes cils et mon nez le ciel comme une immense aile de mouche posée délicatement contre un fond gris et bleu et qui vibrait nerveusement, venant à peine d'être arrachée au corps stellaire...

37.— Je suis crevé vidé voilà.

— Ah... peut-être tu ne manges pas assez.

— Don't be ridiculous Paty.

— Vous êtes tous *épuisés,* les Français, que vous veniez de France, du Québec ou de Navarre... ça vous fait mal de n'avoir pas inventé la civilisation du XXe siècle, alors vous marmonnez dans votre coin comme de vieilles femmes à l'asile...

— Ce qu'il y a à sauver.

— Chrétien va! Ça veut tout sauver, janséniste, va !

— Tu as peut-être raison.

— Attendez : bientôt ce sera une nouvelle aventure *terrestre,* vous y serez à l'aise, plus que les Turcs...

— Pourquoi dis-tu cela ? Pourquoi les *Turcs ?*

— Parce que je m'en fous, de votre peau étriquée, de vos *sudden accesses* de moralisme, de votre plainte éternelle, de vos gémissements, et puis surtout yes surtout de toutes vos *idées.*

Le bout des pieds glacé, les orteils recroquevillés dans des bottes de fourrure nous continuons à piétiner la neige, à tourner en rond ; (je vais attraper un sale rhume, si ça continue...) peu à peu émerge de ma conscience le Problème : si j'avais la peau noire, le nez sémite ! Mais voilà de grandes cultures universellement reconnues ! Je parle français en Amérique, c'est là la grande connerie, la *faute,* je serais fils putatif des Folies-Bergère et du Paris by Night que la Salvation Army n'en serait pas plus émue...

Mais je ne m'émeus plus moi-même ; *le temps d'une adolescence...* Patricia se met à courir en descendant la côte qui mène à la librairie Fairlaine où nous jouerons à dénicher les couvertures les plus fantasques des paperbacks américains.

38. Derrière nous un gentleman lança : « L'automne n'a de sens que dans nos pays où l'hiver et l'été sont des saisons grossières... »

La fenêtre du wagon nous offrait un paysage en demi-teintes que coloraient sobrement les écorces blanches des bouleaux, les peaux sèches des ormes, les pelures lisses des érables.

— Là-bas des loups ! Je crois. Ou des chiens gris ?

Mais le train filait trop vite pour qu'on puisse y voir clair. D'ailleurs personne n'a encore vu ces forêts : à pied la broussaille y est si dense qu'on ne distingue pas un lièvre d'un paquet de mousse, à deux pas. L'endroit rêvé pour se perdre, ou descendre un chasseur d'un coup de fusil distrait. Seuls les lacs, parfois...

— Tout ce confort, ces dômes de plastique, ces soles anglaises,

— En Europe les trains ne sont ni aussi luxueux ni aussi généreux...

— Mais il ne leur manque pas l'élément essentiel du voyage: l'inattendu, la surprise de rencontrer un passager qui sache tout de la vie intime de Pline l'Ancien ou de la façon dont on a construit les guichets du Carrousel au Palais du Louvre...

— Chéri, tu as un côté quizz qui m'étonnera toujours.

— Ce n'est pas ça: l'image manque de relief, c'est tout, et je n'aime pas la dimension unique.

— But that is true of everywhere in this land; it's true of everyone. You. Me. Imagine! For instance I was eight...

Peu à peu nous échangions nos enfances comme des gosses échangent des gages, des images, des rouleaux de fils, des clefs, des pièces de monnaie étrangère.

J'essayais d'ajouter dans la trame de ses souvenirs de fillette riche mes images étriquées, piquées dans un petit coin de province, l'été, ou dans une cuisine fleurie (partout des fleurs peintes, jusque sur la porte du réchaud) pendant ces longs hivers où, accroché à la radio, mon père suivait pas à pas l'avance et le recul des troupes alliées, comme si ces batailles avaient lieu sous nos fenêtres. Il rêvait, je crois, de politique, tout en étant bien sûr de n'en jamais faire, mais il poussait l'honnêteté et sa conscience du monde (des *déserts)* l'y incitait, jusqu'à se préoccuper plus des soldats en campagne que des problèmes que les civils américains avaient à résoudre.

J'avais dix ans : c'est ce moment que l'Amérique choisit pour transformer ses usines d'automobiles en chaînes à fabriquer des canons et des chars d'assaut, ce qu'elle fit cigare aux lèvres, moitié par cupidité, moitié par gentillesse. Tout effort était effort de guerre et la ville fut parsemée de panneaux-réclames où un Churchill, le front plissé, l'œil débonnaire, les doigts en V, nous parlait anglais (give us the tools we'll do the work), ce qui suffit d'ailleurs à faire fuir vers les bois de braves gars de vingt ans qui ne voulaient pas se battre, eux. Cependant cette guerre ne nous laissa ni culs-de-jatte, ni manchots, ni orphelins, ni trépanés : elle ne fit que semer en nous les premiers germes de l'inquiétude, du soupçon... les adultes disaient : ils ont bombardé Dunkerke, mais autour de nous rien ne se passait, ni feux d'artifice, ni phares fouillant les nuages, ni tir de la Décéa, rien, rien sinon l'inquiétude comme un ballon lentement, péniblement gonflé. Rien, sinon, de temps à autre, dans certaines familles, un grand blessé ramené en avion d'Italie, via Londres, comme un colis.

39. Il neige toujours, une neige poudreuse, imprévisible, qui arrive en rafales blêmes... Nous sommes reve-

nus de la place du Tertre pour nous engouffrer dans une petite salle du quartier des affaires où *Duel in the sun*, que nous avions vu cet été-là au Lake, cherche à éveiller les désirs du protestant moyen : depuis trois jours Patricia m'amène au cinéma, ne parle plus, comme si elle avait, soudain, été frappée d'un mal étrange. Avant-hier, elle a crié :

— I hate too much. I love too much. That is the trouble : too much. I'm sick of it all !

Depuis elle n'a pas bronché, pas un muscle de sa figure ne s'est plissé, elle répond par onomatopées, me regarde à peine ; un truc oui, c'est sûrement un truc pour me laisser face à moi-même décider de tout. Ou bien a-t-elle vraiment choisi de vivre, recluse, à l'abri de mes airs chagrins ?

40. Vers midi nous vîmes le soleil fendre obliquement par les glaces fermées l'ombre et la poussière du wagon. Déjà, à mesure que nous nous approchions de l'est du pays, les villes qui se faisaient plus nombreuses se dessinaient aussi plus enfumées, plus opaques avec leurs rues étroites où les enseignes au néon devaient rester allumées toute la journée, roses et jaunes sur fond de briques.

Le train passait naturellement au cœur de ces villes qui s'étaient construites lentement tout au long de la sève de la voie ferrée. La ligne de chemin de fer comme l'unique nerf d'une vie possible (aujourd'hui l'avion)...

A petite allure, du haut de nos banquettes en peluche, nous faisions du tourisme à l'américaine, saluant de la main les gosses accourus voir passer le train ; mais les enfants, au fond, c'était bien plus *nous deux* et surtout Patricia peut-être, qui, tantôt à mes côtés, tout à coup sautant sur le fauteuil d'en face, les jambes repliées dans une robe de laine souple couleur de sable sec, commençait des discours qu'elle ne terminait pas, pointant du doigt les têtes, décrivait les usines, le baroque des architectures 1920... nous n'avions aucun souci des voisins qui semblaient aussi intrigués par nos allures langoureuses que par nos conversations scabreuses, nous croyant trop jeunes pour un voyage de noces, qu'il fût en montagne ou aux chutes du Niagara (leurs schèmes naissance-fiançailles-mariage-mort ne pouvaient nous inclure ? Ils nous rejetaient alors comme une cigarette terminée, éteinte, refroidie déjà).

La ligne de l'horizon hoquetait, les arbres fuyaient. Il n'y eut plus bientôt d'autres bruits que ceux du train dont le boggie martelait les rails et quelques voix d'enfants, ou des pleurs, quand les familles les unes après les autres, comme si le passage de l'une encourageait l'autre, se rendaient au wagon-restaurant.

Entre les villes, dans nos bancs, comme à l'église, nous inventions des lieux bénis, interdits, des bruits inattendus : le passage devenait à volonté un corridor de couvent, une aile d'hôpital, l'entrée d'une cellule, le pont étroit par lequel Aladin devait atteindre (sans toucher le mur au risque de mourir — malgré le cahotement du train —) la salle souterraine où se cachait la lampe merveilleuse en forme de saucière suédoise ; ou encore : un jeu de quilles qui réunissait, lui, trois wagons, et tout cela dans des cris d'oiseaux où s'entremêlaient grives mésanges engoulevents colibris geais étourneaux et surtout le râle moqueur des corneilles (le dernier couac) qui devaient fuir le pays dans cette saison... (le quetzal, oiseau sacré, que les enfants nourrissaient de grains choisis, au village)...

41. Les projecteurs grésillent derrière la vitre poussiéreuse de la cabine et le faisceau lumineux qui varie sans cesse d'intensité suivant l'opacité des teintes et des images me fascine plus, certes, que cet horrible court métrage sur la pêche à la truite dans le-lac-Louise-miroir-des-Rocheuses ; les actualités américaines nous ont promené d'un porte-avions gigantesque sur lequel des élèves-pilotes apprennent à déposer de petits appareils qui ne serviront plus jamais à la guerre, à la guerre, jusqu'à l'ambassade du Brésil où les femmes les plus belles restaient à la grille du palace les yeux fiévreux, la main tendue. Patricia, dans la pénombre, est à l'indifférence fixe, comme un mauvais baromètre relégué au-dessus d'une commode inutile.

42. Nous devions arriver au petit matin à Montréal. Patricia voulut que nous restions debout pour ne man-

quer aucun moment de la nuit, éveillés pour jouir de chaque arrêt, visiter chaque gare. La lune — exceptionnellement claire et nette — réfléchissait assez de lumière pour transformer les paysages en tableaux phosphorescents et intriguer nos imaginations déjà fiévreuses, dessinant des sous-bois qui auraient convenu aux pièces de Shakespeare.

Patricia avait choisi de porter un pantalon et une veste de cuir sombre pour ne pas frissonner, pour ne pas troubler la nuit. Serrés l'un contre l'autre, nous nous tenions dans la portière à demi fermée, sautant sur les quais avant même l'arrêt complet du train, comme des voyageurs importants et pressés de régler des affaires essentielles. Le porteur noir avait au début cherché à nous retenir, mais bientôt découragé il nous laissa faire à notre guise, préférant somnoler près d'une bouche d'air chaud dans la salle attenante aux W.-C.

Presque toutes les gares étaient de briques très cuites, avec des rainures profondes, ou de bois brun huilé, avec un seul guichet gothique pour les renseignements et les billets tout à la fois; une porte à tablette pour la consigne, avec panneaux coulissants, deux ou trois bancs qui se seraient trouvés tout aussi à leur place dans une chapelle placés en plein cœur d'une salle d'attente minuscule, sans proportions réelles avec les heures que des hommes des femmes et des enfants devaient y passer chaque jour, et puis ce comptoir où une vieille dame — cheveux blancs, seins bas, robe attachée au cou par une broche brillante, au-dessous de l'épaule gauche — toujours la même, toujours du même âge (nous nous disions : c'est sûrement la même, elle doit monter en cachette à bord du train, sauter, se précipiter derrière les comptoirs où gisent des gâteaux secs, quelques secondes seulement avant nous ; nous essayerons la prochaine fois de l'avoir de vitesse ; en vain, mais) qui vendait un pâle café au lait, couleur de rivière après les pluies, de ces oranges *baisées par le soleil,* des comics de propagande et d'autres moins drôles, quelques journaux de la veille au soir...

Patricia, qui éclatait de beauté dans ces lieux tristes, qui se refusait à peine, fit bander, j'en suis bien sûr, chacun de ces simples fonctionnaires de la Canadian National Railway, guindés dans leur uniforme bleu waterman avec képi de général français, et qui prenaient tout leur temps — c'est-à-dire celui du train — pour la détailler comme à l'encan le paysan détaille une bête qu'il sait ne pouvoir se payer. Patricia se faisait alors garce, riant trop fort trop longtemps, s'accrochait à mon cou comme une guirlande de chair (la fatigue commençant vers deux heures de cerner ses yeux, son visage se fit doux comme un fusain ; parfois, les paupières fermées, tout à coup immobile au beau milieu d'une salle ou sur le bas du quai, elle tendait l'oreille comme pour entendre les accords lointains d'un jazz discret étouffé serein exclusif, comme si cela lui était familier : le souffle de la terre, du vent, l'...).

D'ailleurs ce voyage nous apprit en deux jours et deux nuits toute une géographie de province tantôt prétentieuse, tantôt poétique, tantôt ridicule, tantôt amoureuse : Belle plaine, Medicine Hat, Qu'appelle,

Val Marie, Foremost, Assiniboia, Lethbridge, Kennedy, Neepawa, Sandy Lake, Wawanesa, Jordanie, Paris, Laugneth, Polar point, Manitou, Oxbow, Carman, Lac du Bonnet, Steinback, Sundown, Crystal City, Montmartre, Kipling, Souris, Marienthal, Browning, Eden, Detroit, port Huron, Chatam, London, Waterloo, Damascus, Nottawasaga, Port Credit, Hamburg, Frankfort, Belleville, Toronto, Ottawa, Kingston, Iroquois, Long Sault...

43. M'est précieuse la courbe érodée de son épaule, m'est chère la courbe sèche de sa hanche aussi, le ruisseau... — [cette pluie soudaine, de l'eau, de l'eau partout, la terre qui devient visqueuse, l'adobe sera bonne, et l'oiseau-serpent heureux ; Manuello, l'infirme, faisait l'amour à Agnès quand l'orage éclata ; moi, je dormais, du moins je crois que je dormais ; auprès de moi la jeune Indienne qui tenait mon ménage tressait des feuilles de bananier (aux yeux de sa famille j'avais tous les droits ; elle m'accordait d'ailleurs une tendresse inhabituelle chez les jeunes de cet âge : à treize ans elle rachetait le miel de son corps en pillant la cuisine avec désinvolture au profit de sa famille, puis bientôt du village entier), le ruisseau.]

Aujourd'hui les ruisseaux sont gelés, les draps glacés, Patricia s'est blottie contre moi pour se réchauffer, cherchant une position du corps qui lui permette à la fois de dormir et de profiter de ma chaleur. Je ne sais pourquoi : je pense tout à coup aux chiens de Jack

London, puis, me rappelant qu'elle ne les a sûrement pas lus, aux livres roses de la comtesse de Ségur, aux fables de La Fontaine (l'association de sa position couchée sûrement et de celle des animaux), aux chansons d'hier, Patricia me tient par le bout du cœur, me ramène à elle, if he hollers let him go, je crierai sans doute, je crierai, *comme un nègre*, avec le feu, un jour, attendez Seigneur, du cœur aux lèvres...

44. Vers quatre heures trente, ce matin-là, nous étions encore debout quand le chef de train passa d'un wagon à l'autre, chuchotant devant chaque couchette qu'il restait une heure de voyage. Pour avancer les choses, le porteur se mit à faire beaucoup de bruit avec une discrétion étudiée : ce fut immédiatement le début d'un spectacle insolite où des pieds sales et des ongles d'orteil peints en rouge, où des chaussettes et des jambes grasses et des poils noirs surgirent, dansèrent, débordant des toiles mal attachées ; ici une seule jambe, comme si l'un des voyageurs s'était transformé en flamant, là des pattes d'hippopotame.

Pendant qu'au robinet avare chacun cherchait à faire couler assez d'eau pour se laver les dents, se raser ou simplement se coiffer, seuls Patricia et moi étions attentifs aux fumées brunes qui se dissipaient, laissant voir la naissance d'une ville depuis ses boulevards extérieurs, généreux, vides, jusqu'aux rues de plus en plus étroites et sombres, comme si les édifices avaient tenu à se mettre en rang pour une photo de famille : des plus petits aux plus grands, par ordre de croissance.

(A l'intérieur du wagon ce n'était que cliquetis de charnières forcées, pincées, coincées, bruit de valises qu'on frappe contre les banquettes, déclics de serrures fermées nerveusement, appels rauques.)

La suie se faisait plus épaisse, comme le feuillage d'une forêt, et le train s'enfonça, sans prévenir, sous terre, dans un long tunnel blanc qui nous amenait au cœur de la ville qui commençait à peine de battre à cette heure. Il nous fallait récupérer cent heures de train et de paysages.

Ce fut : la gare — immense comme une nouvelle salle de concert — où les pas, les sons métalliques des casiers que l'on ferme, l'écho cahoteux, les cris dans les haut-parleurs jouaient d'une façon concrète une musique d'arrivée.

Ce fut : cet escalier roulant sur lui-même, convoyeur qui déversait avec indifférence, au rythme de sa ceinture, civils, curés et militaires dans une salle trop haute, aussi épuisés les uns les autres par le voyage que surpris, étonnés de marcher sur terrain ferme, incapables de retrouver *le pas*.

Ce furent : ce cercle que dessinaient autour de nous les bagages ; Patricia mourant de sommeil ; et pour moi cette ville à apprivoiser après de si longues vacances.

Ce furent : ce taxi noir et rouillé, ces parasites de la radio, ces pourboires, cet escalier de dix-huit marches, cet assoupissement, ce sommeil lourd dans un jour qui commençait de vivre, dans cette ville qui ne m'était pas étrangère.

V

45. La nuit n'existe plus vraiment : c'est un demi-jour, une pénombre (à cause de la neige abondante sans doute qui couvre les maisons jusqu'aux toits, les arbres aussi, qui ensevelit voitures et clôtures).

Une ville à la fois oppressée par l'épaisseur du givre et des flocons, mais en même temps légère, aérée, sous une couche de blanc friable comme de la craie. Cette nuit encore des maisons surchauffées dangereusement brûleront comme des torches, comme des bonzes aux quatre coins du pays.

Norwalk (A.F.P.). — Soixante-trois personnes ont perdu la vie, samedi, dans l'incendie qui a ravagé une maison de retraite pour vieillards et infirmes. Il y eut vingt-quatre survivants.

Douze heures seulement après que les pompiers eurent maîtrisé le sinistre, soixante-deux corps avaient été retirés des décombres et transportés dans une école voisine. Quarante-sept d'entre eux ont été officieusement identifiés et deux réclamés par les parents des défunts. On cherche encore un autre corps.

L'incendie, dont les dégâts sont évalués à plus de

$ 100 000 a détruit de fond en comble l'hôtel connu sous le nom de « Golden age », situé à Lakeville, un centre de villégiature à 15 milles au sud-est de Norwalk.

Au plus fort de l'incendie, deux routiers, de passage devant l'hôtel, ont risqué leur vie pour tirer des flammes les vieillards infirmes ou trop faibles pour marcher. Ces deux héros sont Henry Dahman, chauffeur de camion de Sarber, et Clifford French, vingt et un ans, de Michigan, aux Etats-Unis.

Quatre des vingt-quatre survivants sont dans un état critique à l'hôpital. On ignore les causes de la tragédie.

(Je tins à lui expliquer que ce sont des enfants surtout qui, dans les maisons de bois de l'Abitibi et de la Gaspésie, brûlent comme des cocottes de papier.)

46. L'instant d'auparavant, tout était normal. Et puis soudain cette crise, comme si nous nous transformions en oiseaux ennemis. Patricia râle, je pousse des cris perçants, nous nous retrouvons debout sur la table de la salle à manger, l'œil rouge, puis, soudain, tout cesse, et ces cris, et cette curieuse sensation de pouvoir voler.

Peut-être faut-il en rire.

Patricia crie.

Ce n'était pourtant pas mon dessein de la tourmenter ainsi ; et si elle devient nerveuse, je n'y suis pour rien.

Elle dit qu'elle s'imagine facilement sautant en bas des vingt-trois étages d'un immeuble de Régina, poussée par le vent et la colère, *ne sachant plus voler,* s'écrasant comme une citrouille, sur le pavé glacé.

Que me reste-t-il à attiser ?

VI

47. A Montréal, Patricia restait le plus souvent dans la maison, ne sortant que pour aller aux cours en fin d'après-midi. Nous avions loué un cinq pièces lumineux donnant en partie sur la rue de la Montagne, l'arrière surplombant un parking automatique où des ascenseurs gigantesques promenaient les *Cadillacs*, les *Pontiacs*, les *Olds* ou les *Chryslers* (la plupart voitures de touristes américains) de haut en bas des six étages du garage.

Cela se faisait à toute vitesse et nous en percevions des cliquetis, des clameurs amplifiées par les puits des ascenseurs, une vibration presque continue qui se faisait sentir dans la cuisine surtout.

Patricia jouait souvent aux tremblements de terre, criant :

— Allô ! allô ! Ici San Francisco, les premiers édifices s'écroulent, vingt-six mille personnes meurent, la poitrine écrasée par les briques et les pierres amoncelées ! Ecoutez ce poste pour de plus amples informations et des reportages détaillés, ne manquez pas le tremblement...

Quand, le dimanche, le parking fermé nous remettait pour quelques heures une terre ferme, nous avions l'impression d'un trou dans notre vie, comme une (parenthèse) dans nos jours. D'ailleurs le cœur de la ville, à certaines heures, nous inquiétait: le sommeil ne peut se confondre à ce point avec le silence.

Nous continuâmes notre amour, nombril à nombril. Pendant le mois de novembre et jusqu'au début de décembre, nous vécûmes repliés sur nous-mêmes; des nuits durant nous marchions à travers les quartiers, ou encore, prenant un tramway rapide vers la périphérie, nous allions au bord du Fleuve, de la Rivière des Prairies aussi, rêver, parler, parler encore.

Parfois je l'entraînais dans des rues qui m'étaient familières, les lui décrivant, disant:

— Nous jouions quand j'avais huit ans, dix ans peut-être, dans les jardins là-bas; chaque vieillard du quartier avait son potager et nous volions des légumes qu'il nous fallait ensuite manger crus, et puis là: des rochers...

Patricia suivait avec déférence ces pèlerinages inutiles: à la place exacte où je lui indiquais le lieu des jardins potagers, elle voyait un hôpital de quinze étages, une école derrière; les rochers? quels rochers? Des rêves d'enfant peut-être? Ici et là des appartements s'élevaient où je m'étais battu contre Philippe Papineau dans la poussière et les herbes; ici Robert nous avait expliqué... Mais les paysages eux-mêmes disparus, il ne me restait rien de l'enfant que je voulais lui décrire, lui expliquer, de celui que.

— Au fond autant habiter un chantier!

La ville comme du gruyère, avec des trous inattendus : nous n'avions pas besoin de guerres pour raser nos ex-voto et des rues entières ; le progrès, à lui seul, valait son bombardement américain. Faudrait bientôt mettre ses souvenirs au clou... cette curieuse habitude de la nostalgie, en plein pays neuf...

48.— How many years can a bird survive ?

— ... Ça dépend des chasses et de l'oiseau. Tu sais il y a des mouettes qui se sont mises à vivre sous terre, à Bikini, à cause des

— Merdalors ! Tu crois qu'on peut faire un enfant ?

— ...

— Je veux dire lui permettre de vivre et avoir de bonnes raisons de croire qu'il atteindra trente ans ?

— Nous perdons des plumes, ma bonne amie.

(Des soirs, comme ça, quand elle prend la forme d'une colombe inquiète, j'ai vite la folle envie de lui arracher ses plumes les unes auprès les autres : je t'aime, beaucoup, passionnément, à la folie, jusqu'à ce que son corps nu et rose tremble de froid.

Cette nuit les vents soufflaient si fort qu'on eût dit qu'ils voulaient balayer la terre entière ; elle serait alors morte de tuberculose, certainement...

Cette nostalgie, comme un parfum préféré qui a depuis longtemps imprégné la tapisserie et les rideaux, qui ne veut plus lâcher.)

49. Pour être parfaite citadine, et étudiante modèle, Patricia se mit à la recherche d'une pensée philosophique cohérente, épuisant jour après jour les résumés qu'elle achetait à des élèves plus âgés et les condensés qu'elle trouvait en librairie, me disant pendant nos longues marches le rythme vital et toute la puissance d'un Zarathoustra, me chuchotant au lit, épuisée, qu'elle faisait effort pour atteindre le nirvâna de l'amour. Son père lui envoyait régulièrement un chèque sur lequel je m'étais mis à prélever le coût du loyer, cherchant à économiser le peu qu'il me restait en poche. Patricia en fut aussitôt ennuyée. Ou peut-être était-ce autre chose ; bientôt, de toute façon, elle se mit à suivre des cours du matin, me laissant seul au lit, m'abandonnant la vaisselle sale sur la table du petit déjeuner. J'aurais pu me transformer en ménagère et ainsi sauver notre ménage. Mais j'atteignais l'âge de la majorité et je me surprenais de plus en plus à me préoccuper d'une tâche collective, je parlais des foules, des devoirs, avec des envolées électorales.

Patricia prit un amant. Sans elle je ne l'aurais peut-être appris qu'au printemps, puisque

— Il est étudiant de troisième année

— Anglais?

– F'course. Il a mon âge et son père est très riche, habite Westmount...

— « A l'ouest dans la montagne un ghetto monstrueux où des châteaux réservés aux seigneurs d'Albion dominent cette ville qu'un million d'esclaves français, de leur sang... »

— Don't be ridiculous !

— Je ne suis pas ridicule : tu n'as pas encore compris notre romantisme ; il faudra t'y faire : car cela se situe à mi-chemin entre une hargne baroque, absurde, et une tendresse d'épagneul.

— Oh forchrissake do you *have* to be so pompous !

— C'est mon côté versailles. Nous avons tous une allure son et lumière ça... mais rassure-toi, c'est vous qu'êtes propriétaires des châteaux...

— O.K. Le spectacle est fini ? Je peux rester ?

— Pourquoi ? Fiston ne t'attend pas ?

— Tu oublies facilement que nous nous aimions, less than ten minutes ago.

— Tu veux un café ?

Tout pour nous distraire. Dans ces moments tendus, Patricia dénouait ses cheveux qui caressaient au ralenti son visage blond, puis tombaient à la naissance des épaules. Elle relevait alors la tête d'un seul geste pour dégager son front, une pointe de sérieux, une lueur de tristesse dans les yeux qu'elle avait tout à coup trop pâles.

— Il possède un bachelor's apartment rue McGregor ; mais je préfère demeurer ici, à moins que tu ne me chasses...

— Non quand même.

— Tu l'aimerais j'en suis certaine, il est très bien.

— Tu voudrais peut-être que je l'invite à manger ?

— Plus tard. (Un temps.) Tu sais, il est directeur d'un journal à l'université. Il est très occupé. Président d'un groupe comment dit-on *ban the bomb*.

— Antinucléaire.

— C'est ça. Et puis il écrit beaucoup. Ce sera un grand écrivain, un jour, sûrement. Il m'a lu des poèmes qu'il a faits pour moi, un début de roman.

— Puisque c'est toi qui payes...

(Une nuit à Laredo j'ai voulu — face à face avec un Mexicain complaisant auquel je payais la tequila et qui m'écoutait plus ou moins, répétant à intervalles réguliers si, si, même s'il ne comprenait pas le français et parce qu'il s'en foutait éperdument, j'ai essayé de reprendre ce moment, cette scène, avec d'autres dialogues. Patricia employait les mêmes mots, je changeais d'attitude :

— Tu l'aimerais. Il est très bien.

— Toi. C'est toi que j'aime.

— Il est directeur d'un journal à l'université, président d'un groupe banthebomb...

— Toi. J'aime toi.

— Et ce sera un grand écrivain un jour. Il écrit beaucoup. J'ai vu des poèmes qu'il a faits pour moi, un début de roman.

— Tu vois Pedro je n'avais aucune chance contre un écrivain cet être faux qui a l'air plus vrai que nature ce chirurgien auquel on prête un cœur, et qui ne le rend jamais. Le plus grave c'est qu'on lui soupçonne un pouvoir magique. On se dit : avec des mots il va transformer la vie la terre l'amitié ; comme un sorcier, avec des mots ; quels cons nous sommes avec des mots Pedro, empêtrés, gênés...

Pedro riait très fort, ce qui me faisait grand plaisir : j'étais déjà ivre j'en avais pour mon argent ; des discours à bon prix devant un auditoire attentif ; et quand le bar de l'hôtel ferma (à vingt-trois heures les Anglaises montaient se coucher et le patron comptait dans sa clientèle bon nombre d'Anglaises venues sous prétexte de santé ou de tourisme se taper un exotique mâle latin, se farcir, diraient les pâtissiers, un Indien spécialisé) Pedro me reconduisit dans le quartier ouvrier ; nous nous soutenions l'un l'autre — je suis assez grand et mon bras autour de son cou nous maintenions un certain équilibre — à chaque vingt pas cependant je m'arrêtais pour gueuler, les bras en l'air :

— Non ès tourista no no no no (air de samba).

Ne sachant plus si je puisais ces quatre mots au bagage de latin, d'italien, ou d'espagnol que possède tout homme civilisé ; Pedro me rattrapait alors avec les cinq mots d'anglais qu'il avait dû apprendre pour se trouver du travail dans les fermes avoisinantes du Texas :

— I friend sure work good.

Jusqu'à une terrasse où dans la nuit chaude des commerçants attablés vidaient bières glacées et whiskys dorés. Obstiné, je choisis une table qui faisait le coin de la rue, prétextant que j'attendais Patricia. Sans insister Pedro s'endormit le nez dans ses bras repliés comme s'il était midi et l'heure de la sieste.)

50. Il est midi et c'est la sieste. Tout à l'heure, pour la dernière fois sans doute, j'ai consenti à battre des ailes place du Tertre. Tous ces oiseaux malades, marchant comme des canards de bois, tous ces canaris du sentiment...

Ce matin Patricia a reçu une nouvelle lettre de Miami lui demandant de s'occuper de la maison paternelle et elle insiste depuis pour que nous allions habiter ces lieux ; la baronne irlandaise part en croisière (écrit-elle) dans les Antilles lointaines sans repasser par ici. Elle propose même en post-scriptum que, si Patricia pouvait vendre à bon prix, autant la débarrasser de ce souvenir douloureux que son époux défunt fit construire l'année de sa mort, en marbre d'Albanie et en bois de Suède.

51. Etendu les pieds en l'air sur le sofa carré, je me laisse aller, glisser, je rêve. Dehors le brouillard laiteux d'une neige qui ne cesse de tomber ; car tous les efforts du printemps et notre impatience même ne parviennent à faire fondre les glaces ni à réchauffer l'air. Nous dormons de plus en plus souvent, de plus en plus longtemps, comme si l'hiver avait peu à peu usé notre éveil. Parfois Patricia relit à voix haute des bribes de l'ancien testament...

— Les Juifs et les Canadiens français, au fond, se ressemblent...

J'opine de la casquette. Mais cette analyse mille fois recommencée, mille fois inutile, reprise d'une génération à l'autre, amenant chaque fois quelques adolescents à la révolte et puis au sommeil, bien entendu. Deux cents hivers semblables...

52. Nous étions le dix décembre peut-être, celui-là commençait. C'était en cinquante-trois sans doute, c'était il y a de cela quelque dix ans : pendant qu'elle préparait le dîner, s'affairant des armoires à la cuisinière électrique, puis à l'évier en acier inoxydable, Patricia me disait les livres qu'il écrivait et que si moi je consentais à m'y mettre aussi elle aurait deux amants écrivains, un dans chaque langue, un de chaque culture, et qu'ainsi elle réussirait à elle seule le Canada (elle se voyait alors, je pense, déjà célèbre et devait se dire à l'avance tout le plaisir qu'elle prendrait lorsque bien vieille, le soir au coin du feu, dévidant et filant, elle se lirait en anglais puis en français pour atteindre le visage réel de sa personnalité). Je la taquinais, lui expliquant que New York restait tout à côté et Paris bien loin, que si je me décidais à écrire (un jour) ce serait peut-être en anglais, que cela lui ferait les pieds, que son étudiant et moi aurions le même éditeur à Manhattan. Patricia très belle souriait par-dessus la table.

— Dans son journal il a demandé la tête du ministre de la Défense : je suis persuadée que tu l'aimerais ; je l'amène bientôt tu veux ?

— Tu ne peux savoir, Pedro, comment tout à coup je me sentis moche. Il me poussait des toiles d'araignée devant les yeux,

Pedro se leva d'un bond mal assuré releva la tête les yeux fermés disant no gracias, je n'ai plus soif, puis se rassit et pointa à nouveau son nez au creux de ses coudes. Tout autour la nuit ne faisait qu'atténuer la lumière: et des enfants jouaient dans la rue, malgré l'heure, profitant des seules minutes de fraîcheur qu'un mois d'août comme tous les mois d'août en ces déserts distribuait parcimonieusement.

— C'est que j'ai la trouille et que j'attends tous les jours l'anéantissement promis. Tu sais: le jour où les Américains lancèrent cette bombe et que Tokyo capitula j'avais douze ans nous étions très fiers d'être si près des U.S.A., alors avec les copains nous avons joué pendant deux jours — sans nous lasser — aux aviateurs américains et aux morts japonais, qu'est-ce que nous avons tué comme Japonais! Pourtant ils me sont restés sur le cœur depuis ce jour-là je crois,

[Le dimanche suivant mon père nous amena à la campagne, oh pas très loin puisque Montréal à cette époque était à peine une ville, fêter par un pique-nique familial l'événement heureux; grand-mère sa chaise de toile sous le bras nous précéda dans le champ à la recherche d'un talus sans fourmis où nous pourrions étendre les couvertures la natte les sandwiches et les bocaux de cornichons dill. Eh bien ce banquet sur l'herbe m'est aussi resté sur le cœur; c'est que, Pedro, je suis sensible. Mais ça n'y paraît pas: c'est ça l'art, le secret, le vrai (tu achètes un poignard en argent sur la lame duquel un ouvrier a écrit à coups de marteau : *mi vida para un amor,* mais tu ranges le couteau dans un tiroir, tu ne le montres surtout pas ; faut rien afficher Pedro, rien). Patricia avait ce sens inné de la dissimulation ; je ne l'ai jamais vue pleurer, tu entends Pedro ? Moi ? Pleurer ? Tu veux rire ?]

53. Noël arriva suivant de près les premières neiges pour rassurer les enfants, les marchands, les hôteliers, les skieurs, Noël arriva et elle passa la nuit du réveillon à Westmount, rentra au petit matin, refusa de se coucher, et me tint discours après discours sur l'art de vivre avec soi-même ; à cinq heures du matin elle se promenait nue à travers l'appartement, des boules de verre engluées de paillettes d'or dans le cou, des feuilles de gui enlacées à sa ceinture, des clochettes aux chevilles, ses cheveux (qui avaient allongé) en filandres jusque sur les seins.

— Je serai ton arbre de Noël

Elle tournait sur elle-même s'écrasait

— Viens au pied de la crèche !

se relevait se plantait au milieu du salon les bras tendus vers le tapis les mains légèrement relevées les pieds joints adoptant assez fidèlement l'allure la forme d'un sapin décoré.

— Il ne me manque que les jeux de lumières !

J'obéis, enroulant les fils laissant les ampoules rouges vers le bas, les jaunes à hauteur du nombril, les bleues autour du cou entre les boules de verre. Le spectacle de Patricia illuminée reste l'un des

— Aïe!

Mais je dus vite éteindre pour faire cesser son supplice: ces ampoules minuscules chauffaient intensément. Elle resta un instant figée, me regardant avec la fixité craintive d'un oiseau malade (déjà), je dus la dépouiller de ses décorations, l'amener jusqu'à notre chambre où elle se mit — sans mot dire — en frais de me caresser, répétant sans arrêt pendant que nous nous embrassions: « Faisons un enfant Jésus c'est aujourd'hui Noël! »

— Merry Christmas Pedro! Et vive le petit Jésus fruit de ses entrailles est béni; j'y croyais, enfant; toi Pedro? *Joder, Madona Santa!...* quand j'eus dix ans on fit de moi — pour les dimanches — un page d'apparat: tu vois? style d'Artagnan sans épée ni fourreau: je portais souliers noirs de cuir verni avec boucle carrée; et puis de longs bas blancs en soie qui rejoignaient, à mi-jambes, une culotte de velours vert sombre lustré; les Frères qui s'occupaient de nous attachaient eux-mêmes nos jabots de dentelle, brossaient avec des gestes de putain la veste que ma mère préparait religieusement tous les samedis soirs; le bel équipage, Dieu la belle fantaisie! Coiffé d'une perruque blonde bouclée et tire-bouchonnée ni fille, ni garçon, mais Ange saint, je précédais le Chevalier de la paroisse (vendeur d'assurances durant la semaine) portant sur un coussin de brocart l'épée que lui avait donnée le pape ou son missel relié en croco (suivant les fêtes de l'année). Le soir de Noël ce fut le petit Jésus qu'on déposa sur le coussin et que je devais porter dans l'encens et le chant des orgues jusqu'à la crèche dehors à la porte de l'église, c'est si joli une crèche dans de la vraie neige, avec de la vraie paille, et puis des animaux grandeur nature, même les chameaux et des anges de modèle réduit un peu partout ; le petit Jésus de cire comme une grosse poupée roulait un peu sur le tissu rouge, je devais le tenir comme une brassée de bois mort, les bras à angle droit avec le corps : j'avais dix ans lui mille neuf cent quarante-trois piges ; il m'emmerdait, avec ses mille neuf cent trente-trois ans de plus que moi, il m'emmerdait le bébé-vieillard-sage-Jésus ; ça n'a pas cessé depuis, je crois.

C'est d'ailleurs ce jour-là que je mis un brusque frein à ma carrière de page : en rentrant dans la sacristie, après la cérémonie, et les trois messes si lentes, si longues, je me jetai dans l'escalier : je ne pourrais marcher pendant longtemps ; tiens vois la rotule ne s'est jamais replacée ; le frère se passa de moi, me remplaça par un camarade qui dut entrer à l'hôpital psychiatrique très bientôt, car on l'avait violé le soir des rois. Les pages ne réapparurent jamais dans l'église, les enfants de chœur même se firent rares, le directeur de la chorale fut envoyé en province, on recouvrit le tout d'encens et de chuchotements. Ce fut un de mes derniers Noëls de croyant. Tu as reçu des cadeaux à Noël, Pedro ?

54. Eaton B. lui avait donné un manteau de loutre, Patricia tint à le porter pendant un dîner aux chandelles tous rideaux tirés ; mais je fus triste de l'entrée au dessert ne sachant ni rire ni répondre, elle très vive au contraire, causait de tout, des traumatismes modernes, de la sauce madère, des révolutions en Amérique latine, des enfants qui crevaient de faim dans la Chine surpeuplée et de ceux qui trouvaient sous leur lit ce jour-là des jouets à la mesure de leurs rêves.

(Je ne sais plus quel âge j'avais quand on me donna, au Jour de l'An, ce *camion-citerne* avec une grande échelle sur le dessus ; précipité contre un mur sa sirène vagissait puis le choc actionnait un mécanisme à ressort, déclenchait l'échelle qui se dépliait en trois sections ; un court boyau de caoutchouc permettait... mais pour y prendre vraiment plaisir il fallait d'abord mettre le feu puis l'éteindre au dernier moment. Un jour, évidemment, l'on me confisqua le camion rouge. Mon père ? Sans doute.)

— Sacré Pedro ! un type comme toi aurait été heureux là-bas ; manger dormir boire le tour est joué. T'as pas même à être honnête, puisque personne ne l'est ; c'est le système et ça fait partie des calculs de probabilité. Seulement faut pas s'aviser de réfléchir, de regarder, de soupçonner, de jouer à l'intellectuel ; des bâtards : les plus grands bâtards que la terre ait portés ! Tu sais j'ai entendu des Belges se plaindre de la même chose, eh bien ils peuvent aller se rhabiller les Belges, les purs Bâtards ! C'est nous, l'enfer c'est les contes de fées pour adultes, du Chaperon Rouge au Petit Poucet qui s'en tirent toujours ; l'enfer c'est la grande armée des fins heureuses malgré les ogres, les loups, la forêt dense, les haines, les champignons mortels, les assassinats, les lâchetés...

Or Pedro n'écoutait plus. Il s'éloignait en chantant, titubait avec grâce. Au loin, par-dessus les euphorbes en fleur, un soleil rouge comme certains projecteurs de music-hall, plus gros que nature (comme une boursouflure de soleil, comme une exagération), s'élevait à vue d'œil dans le désert. Il ne nous en parvenait aucune lumière encore, aucune chaleur non plus, mais déjà les mouches s'étaient remises à bourdonner, à tourner autour des verres, déjà la sueur tachait les chemises sous les aisselles et entre les omoplates, au contact des dossiers de métal ; une lumière rose et blanche nous envahissait, comme un engourdissement profond, agréable. Quelques nuits encore et je passerais la frontière, vers la baie.

55. Le souper aux chandelles terminé, Patricia consentit à descendre dans les rues, dans le vent. Mais il faisait si froid que nous nous mîmes à courir d'un drugstore à l'autre, prenant ici une tasse de café, là du chewing-gum, ailleurs un magazine à feuilleter ; les caissières ressemblaient à la vieille dame des gares du

transcanadien. Dans la neige les trams lançaient des étincelles là où le verglas décrochait les poulies, causant un rebondissement soudain, lançant une pluie lumineuse.

Glacés, émerveillés de froid, nous nous glissâmes dans un petit cinéma à la façade hétéroclite, pendant que dehors Noël s'épuisait en une poudrerie neigeuse que le vent transformait en rafales, au coin des rues; nous choisîmes une salle sombre pendant qu'ailleurs des familles réunies, chez l'aïeul paternel le plus souvent, entamaient une discussion embrouillée et puis une dinde engraissée aux hormones artificielles, puisque les paysans sont aussi malins aujourd'hui qu'hier, pendant que dans les cuisines les cousines les tantes échangeaient des baisers des ragots des recettes de gigot; nous étions assis six dans la salle, six seulement; c'est que dans les salons coulait la bière et le fiel, qu'on y parlerait de hockey avec monsieur l'abbé qu'a de si bons cigares.

Nous étions six au cinéma ce soir-là même à regarder sur écran de soie un film japonais: Superboy s'y manifestait dans une histoire de secret atomique, où la fiction n'était qu'une science, prenant la part du gouvernement japonais, bien évidemment pro-américain, pour empêcher des espions sans scrupules de dominer le monde.

Contrant leur noir dessein, magnifique, Superboy volait au-dessus des tempêtes et des montagnes pour défendre *à temps* les enfants effrayés d'une mission catholique; à la fin du film, quand tous les espions furent assommés, morts ou arrêtés, leur chef électrocuté par ses propres machines diaboliques, Superboy ramenait alors à la Mission une fillette retenue, pendant au moins la moitié du film, en otage. Au moment choisi la religieuse (missionnaire) s'approchait de Superboy, lui glissait autour du cou son propre rosaire, béni par Pie XII, en signe de reconnaissance. Alors les bras en croix, le regard vers le ciel, s'élevant à la vitesse du son, Superboy lançait :

« Je suis un envoyé des espaces interstellaires je reviendrai s'il le faut quand les hommes mettront à nouveau votre vie en danger. »

— Je te dis Pedro depuis Hiroshima sûrement je ne suis plus à l'aise, plus à l'aise du tout.

Mais Pedro n'était plus là. Tournant le coin de la place, il avait hoqueté :

— You my friend.

— Si Pedro I your friend. Toi, l'Envoyé des Etoiles et moi, on fait une belle paire d'amis.

VII

56. Patricia grogne. Ou caquète. Elle a *horreur* de faire les malles, et pourtant depuis hier nous emplissons des valises. Ce déménagement est définitif : au Eastview Castle nous habiterons avec les serviteurs de la famille, les vieux, les traditions, les vases de Sèvres, les quenouilles huilées et la monnaie du pape.

Au fond c'est peut-être ce qui pourrait nous arriver de mieux : nous administrerons une Maison, une Fortune, avec ce sentiment de puissance réelle que confère la manipulation de l'argent. Puissance de guerre, de sexe ou de mort. J'aurai dans ma chambre une cage d'oiseau en or, et je laisserai derrière ses barreaux des liasses de billets américains...

Elle a fait de moi — pour rire — son tuteur, claironnant que de cette façon elle aurait plaisir autant à me tromper qu'à me séduire. Nous allons miser à la bourse, prendre des risques, investir, donner des bals, puis vivre en réclusion si tel est notre bon plaisir, notre agréable vouloir. Eh ! faire des châteaux de sable et de galets au bord de la mer et savoir quel privilège nous est donné ! Et si nous rachetions le Lake pour refaire notre enfance, clairement, avec passion ?

57. Passion lasse.

Bien sûr Patricia habitait toujours notre île du Pacifique, troisième étage au fond à gauche, mais elle y venait peu ou en fin de journée, dans l'après-midi sans doute, alors que je n'y étais plus : j'avais — pour la nouvelle année — sollicité plusieurs emplois avant d'obtenir celui de vendeur-comptable dans une grande pharmacie-drugstore. Les heures de travail s'étiraient péniblement dans les plus mauvais moments de la journée, et quatre fois la semaine la pharmacie ne fermait boutique qu'à deux heures du matin. J'allais alors reconduire une Madeleine radieuse, étudiante stagiaire qui apprenait, derrière le comptoir, à se serrer contre moi dès que le client passait la porte ; Madeleine appartenait au prolétariat de luxe ; on l'avait fait instruire pour la libérer, elle serait riche plus tard, puissante aussi, faisait des rêves comme j'en caressais tous les jours, mais en plus rose et doré, avec fioritures au bout du conte de fées.

Je me surpris à penser à moi, puis aux têtes que je croisais en allant au travail, aux yeux fixes de ceux qui venaient acheter des vitamines, aux voix sourdes qui commandaient, au téléphone, des capotes anglaises comme à l'épicerie, à la fillette qui achetait chaque semaine des tubes d'onguent contre l'acné, ou à ce vieux nègre qui postait tous les jeudis une lettre vers le soleil, après y avoir accolé les douze sous de timbres royaux que lui crachait l'automate, placé à côté des savons et des eaux de Cologne.

A ficeler des paquets, préparer des ordonnances et vendre de l'aspirine, Madeleine et moi apprenions tous les jours une amitié tendre, une complicité de salariés; le temps nous semblait moins long, nous parlions de nous avec ferveur. Je voulais qu'elle vienne habiter rue de la Montagne, elle hésitait. Se faisait prier. C'était, pour Madeleine, transgresser une frontière: habituée aux fumées des raffineries de pétrole, aux odeurs pesantes du bout de l'île, heureuse dans son monde en bretelles, elle s'était accoutumée à voir scintiller, de la rue Notre-Dame, les flammes de sécurité qui s'échappent des longues cheminées polies, au milieu de terrines bleues blanches et jaunes, n'ayant etc. Et puis Patricia etc.

Mais, quand elle s'installa chez nous, Patricia se fit vite à l'idée d'un ménage à trois qui semblait l'amuser, et elles échangèrent bientôt leurs baby-dolls, leurs jupes et leurs bijoux. Je faisais partie du troc et des bons mots. J'étais le sujet en somme, il me fallait un verbe.

J'achetai une moto bruyante, toute en cuir et nickel, une Harley-Davidson, plus lourde qu'une 4 CV: Madeleine en croupe, nous faisions les quatre coins de la ville comme des agents d'assurance. Le casque blanc, la veste rembourrée, prenant l'allure de terriens marginaux. (La planète Mars, le bruit, le vent, les yeux embués.)

Puis ce furent, vers la mi-février, des rencontres inattendues dans des bals d'étudiants : quelques anarchistes qui jouaient les frères Jacques, un Polonais-j'ai-choisi-la-liberté mais qui en était rongé de remords, des littéraires, des rêveurs, des peintres, toute une société nouvelle en marge de l'antique unicité locale, et gentiment fausse, où des filles silencieuses satisfaisaient des orateurs à la recherche de foules.

J'y pris vite l'habitude de discussions interminables et de confrontations inutiles avec des Européens en exil, rencontrés au hasard d'un no man's land culturel.

J'avais Madeleine dans l'âme, et nous travaillions côte à côte (comme en un voyage de noces). Patricia n'était plus qu'un territoire abandonné au premier Anglais venu, Madeleine, elle, était ce pays conquis que je retrouvais lentement, calmement.

Et puis l'amour peut-être, avec l'odeur neuve du ;

VIII

58. Vu de la rue, le Castle a l'allure de tout ce qui pourrait être un rêve, dans ces prairies : des tours épaisses comme femmes enceintes, des donjons que ne déparent pas de faux créneaux, trois étages de pierre taillée aussi lourds que prétentieux ; nous sommes à mille lieues de la cabane en bois rond des pionniers suédois ou de la demeure en briques rouges que les Hollandais ont imposée dans presque toute la ville. Ce Castle a une personnalité qu'il veut redoutable et brille comme toutes richesses trop subites, trop grandes, venues à un immigrant d'Europe centrale pour qui l'Amérique, bien plus qu'Israël, s'épelait : *terre promise.*

Un chemin en fer à cheval poli mène à l'entrée principale où quatre colonnes blanches soutiennent une sorte de balcon pâle, qui serait plus utile à l'opéra qu'à la maison. Mais dès l'entrée l'odeur du portique en cèdre saisit à la gorge, chatouille la luette, fait pleurer. Et c'est ainsi qu'on saisit le hall, les yeux embués ; alors les lumières deviennent folles et scintillantes, le grand escalier blond chavire. Le portique, en somme, s'ouvre sur une émotion.

Aujourd'hui il faut ajouter la poussière à l'émotion; partout, sur les meubles, des housses de coton blanc jouent au fantôme, cachant le bois, la peluche et le cuir. Eastview Castle. Mais il y fait chaud et bon pendant qu'on devine derrière le parc, l'hiver, la ville peut-être, et que près de la fenêtre perce ce froid, s'impose cette neige découpée par une étrange chapelière dans un épais feutre blanc. Ce silence, cette neige, ces taches de soleil sur le mur rose. Et la cuisinière qui dit:

— Georges a entendu des corneilles dans
le parc hier

et Patricia qui se met à battre des bras croa croa, courant dans la maison, me traînant derrière elle jusqu'à ce que bientôt nous ne formions plus qu'un couple d'oiseaux noirs entêtés qui butent contre les meubles, les tabourets bas, les murs, qui crèvent leurs ailerons dans des portes vitrées, qui grimpent quatre à quatre des marches recouvertes de mousse de caoutchouc, puis blessés, haletants, hors d'haleine, viennent se jeter tout étourdis sur un lit à baldaquin, les yeux vitreux, le bec recourbé, sec, les plumes hérissées.

59. Nous tenions concile à l'Expresso Bar. Madeleine m'accompagnait, mais Patricia eut vite fait de déclarer que désormais elle se préoccuperait d'elle-même, et que nos séances de psychanalyse autour d'un bol de café la faisaient vomir d'ennui. Elle avait, d'ailleurs, le mal du pays. Pour moi je n'hésitais pas entre la solide cha-

leur de ces nouvelles amitiés et l'amour à heure fixe qu'elle m'offrait contre temps perdu. Je laissais à Madeleine le soin de consoler Patricia et le plaisir de m'écouter. Nous prîmes l'habitude de pousser une ou deux fois par jour la porte du tambour où, sur les vitres à demi opaques, un givre rosé dessinait des plantes, des entrelacs, des rêves.

Mais une fois assis, réchauffés, nos conversations n'en demeuraient pourtant pas moins des monologues qui vivaient le temps d'un souffle entre deux gorgées de bière ou de café chaud. Patricia avait peut-être raison. (Tous ensemble à aboyer comme des autruches maigres, vivant en bande, battant l'air de nos terribles moignons, l'œil vif, mi-inquiets, mi-dépités :)

— Tu vois, Gauthier, quand tu vas au bordel c'est en vaincu que tu te glisses dans la chambre, ah tu y prends ton plaisir ! tu te payes deux filles, l'une grasse, l'autre maigre, les soirs d'opulence, mais (et c'est là le fait important) : avant d'enlever ta culotte tu ne peux pas détacher tes armes dans un grand geste viril et les laisser tomber sur la table. Ah ce bruit du revolver que tu poserais sur la table !

— Vous êtes loufoques.

— Loufoques my eye : les peuples vaincus ont toujours pris leur revanche... ou alors c'est qu'ils avaient été assimilés.

— On ne voulait pas de nous peut-être ?

— Le soldat anglais, le marchand, le loyaliste même nous...

— Les reins cassés, nous avons eu les reins cassés.

L'Heureux se recroquevillait en parlant, analysait l'origine de nos faiblesses, racontant Napoléon ou Voltaire qui avait eu ici tant d'admirateurs secrets, inavoués, mais si peu de fans. L'Heureux se repliait derrière le mystère de ses verres teintés.

Des copains, de bons copains tristes à souhait. Il y avait là Gagné Coulombes Bouvier Lacroix Jeanson Gauthier qui auraient pu tout aussi bien être paras en Algérie, cultiver le poivre à Cayenne, s'affirmer objecteurs de conscience à Clermont-Ferrand, ou mourir, simples fantassins dans la loyale armée de Sa Majesté toute britannique. A un départ près nous aurions tous fait partie d'un bataillon de la Légion étrangère.

Mais notre régiment avait été décimé en 1760 et depuis deux cents ans nous n'avions repris les armes (bien entendu vers 1837 des patriotes que les Anglais avaient pendus et puis Louis Riel là-bas dans les plaines mais). Les armes avaient rouillé sous le banc-lit.

— Loufoques ! Aujourd'hui ! Alors qu'on risque de se taper sur la gueule à grands coups de bombe atomique ! Et vous rêvez d'une bataille gagnée en deux feux de mousquets et trois coups d'arquebuse !

Une vieille bataille sans doute, une rancune profonde, un truc bouffé aux mites.

Gautier en parlant lissait ses longues moustaches se prenant pour un Viking puis il se mettait à rire, par petites vagues allant s'amplifiant comme les ondes d'un cri puis il s'arrêtait net, pour tousser, reprenant ainsi équilibre dans ses pensées :

— Des caves tous des baptêmes de caves : les Anglais

sont venus, les Anglais ont gagné, vivent les Anglais !

On criait vendu tordu traître. Madeleine, bien vite, s'endormait la tête sur mon épaule. On commandait d'autres bières, d'autres cafés, un sandwich, à l'occasion, si la discussion devenait intéressante et qu'elle ouvrait l'appétit. Mais plus avançait la soirée plus la chaleur s'épaississait (comme la fumée) moins nous avions le courage de nous séparer les uns des autres, d'aller dans ce froid et ce vent qui guettaient sur le seuil nos épidermes tièdes, prêts à frissonner.

— Faudra des victimes du sang une vengeance.

— Moi ce qui me dégoûte c'est

Mais la grande l'épuisante peine que nous prenions à tout vouloir nommer ! défaites et pays ! accrochait une lueur identique aux jours qui passaient. Du matin au soir nous cherchions avec entêtement les signes de l'asservissement l'indice récent de l'abrutissement général, jusque dans les statistiques, les almanachs, les horoscopes.

(Mais aussi nous cherchions comme une fleur aux champs les raisons d'espérer, un mot nouveau dans la langue, une preuve que nous n'étions pas tout à fait vaincus.)

Et puis par bandes nous allions dans Montréal au petit jour, arpentant les avenues vides ou cette rue Sherbrooke luxueusement silencieuse (toutes nommées d'après les gouverneurs anglo-saxons qui nous avaient matés), nous allions par les trottoirs comme les soldats d'un bataillon défait depuis longtemps si longtemps, avec sur le dos leurs capotes usées, décousues, portant des pantalons de diverses couleurs gris, verts, bleus, ne sachant plus si nous avions fait partie d'un même régiment et si celui-ci venait de Québec, de Lévis, de Verchères ou de l'île d'Orléans.

60. — Do we spend this Sunday together ?

— Tu ne vois plus ton étudiant ?

— Je lui préfère ta présence, elle est plus (un geste).

— Tu as l'air déçu.

— Il n'a jamais continué son roman, il ne se décide pas même à publier ses poèmes, oui je suis déçue, *bored with him*. Dimanche dernier il m'a fait monter à bord d'un train vers la capitale, nous étions bien deux cents bonnes femmes à chanter : *Down with the nuclear arms!* Lui il était aux anges, c'est un petit parlementaire activiste ; louer un train ! Good god !

D'un commun accord Madeleine nous laissait, à Patricia (qui avait accepté de coucher au salon) et à moi, les dimanches en tête à tête. Elle en profitait pour aller à la messe et chez ses parents au milieu de l'île, puis rentrait dans la soirée. Patricia ne semblait plus affectée par rien. Toute blanche et blonde elle portait habituellement, ces matins-là, un collant noir (comme si elle devait poser pour la page couverture de *l'Esquire)*, me précipitait dans une discussion tout académique, vers midi me faisait l'amour en anglais. C'était sa façon à elle de prendre parti :

— You're completely stup : be an American and feel at ease...

Dans ces instants curieux je saisissais d'un seul coup (au disque qu'elle glissait dans l'électrophone Philco, *music to love by)* tout l'apport riche étrange d'une enfance, d'une culture précise, d'un chant appris il y a longtemps (La Tour prends garde, La Tour prends garde), d'un nom familier, de l'*évocation* — et comme chacun vit suivant la mémoire qu'il a d'un certain rythme, d'une danse complice. Nous étions avalés par nos mots, nos mots d'enfants.

Le reste de la semaine Patricia écrivait. Elle mangeait beaucoup, allait nager tous les jours dans une des piscines du Y.W.C.A., ne venait dans notre chambre que lorsque Madeleine l'en priait (le grain de quatre seins qui s'affermissent sous mes lèvres). Mais elle parlait de plus en plus politique, et nous n'évitions pas tous les malentendus, tous les soupçons, le mur des nervosités.

61. Nous étions à l'âge des choix. Coulombes, un petit sec avec des os plein la figure (le plus dur, le plus entêté d'entre nous), menait ses enquêtes et ses démonstrations avec l'égoïsme du rêve. Il avait souvent l'attitude heureuse d'une chouette qui découvre un nid de couleuvres vertes. Il bavait :

— Tu veux devenir écrivain ? hiha !

Il se moquait de nous, de moi, disant : tu ne peux écrire une ligne sans choisir la métropole à laquelle tu destines ton livre ; New York ou Paris ?

Evidemment.

62. — So you went *on the road* Jack ?

Ici tu sais il n'y a pas de route encore qui résiste au dégel ! Malgré tous les efforts d'experts américains venus ausculter nos macadams et nos bétons, la terre chaque printemps se réveille tout d'un coup, se secoue, et les rues prennent alors comme des plis au menton.

— But why were those roads to the South so precious, so appealing ? Jack Kerouac ! Je sais t'es un veinard un surdoué (on m'a dit quelle école vous fréquentiez à New York City) te voilà des mots plein la bouche te voilà la crème des uéssé.

Pourtant, en somme, tu nous as laissés tomber ! Tu as troqué Québec contre Los Angeles. Sacré Jack ! comme si, d'ici, la chaleur ne nous fascinait pas nous aussi !

(C'est ça le talent, disait Patricia : épouser l'Amérique, la baiser en chemise !)

— Beat means beatitude ?

— Comme dans beau bon bienheureux ? Le frère André était beat et la mère Marie de l'Incarnation ?

Non Kerouac, pour nous beat veut dire beaten, battu, écrasé, vaincu à la guerre et au commerce. Tu as choisi pour changer le sens des mots de dormir à l'ombre du Capitole blême, de devenir un fils d'Abraham Lincoln, de frayer avec les dieux grecs du Pentagone, sous le regard de Kennedy l'assassiné...

(Certains jours certains soirs nous avions l'impression très nette que tout ce qui nous entourait était mesquin, ou vide de sens, comme si le temps était un hochet crevé qui ne faisait plus rire même les enfants gras...)

— C'est pas un peu Jack, comme si t'étais *pinky* dis ? Mon aîné eh ? Mulâtre qui réussit à passer pour blanc dans le hall du Waldorf ?

(Dans la salle enfumée de l'Expresso Bar le bastringue jouait un Brassens que Madeleine avait choisi comme on présente une fleur exotique à une esquimaude nue. Des couples à l'air triste ou heureux, silencieux surtout, se tenaient les mains, nous regardant discourir distraitement ; Jeanson se levait et se tenait debout chaque fois qu'il prenait la parole, comme s'il était à une réunion du parti ; la serveuse, une jolie Suédoise, qui n'avait appris en deux mois que quelques mots d'anglais, possédait l'art de le mettre en rogne contre l'univers entier et ceux qui font des compromis.)

— J'en connais qui crèvent de jalousie ; ton génie ici, au pays, on te l'aurait étouffé, tordu, asséché. Et toi, Jack, tu l'as répandu dans un continent entier, notre douleur et ta condition d'homme, saint Jack Kerouac donne-nous le jazz, la fatigue, le goût d'aimer et de mourir épuisés dans cette grande roue qui tourne au maximum, qui bouffe les hommes et les femmes comme les Egyptiens bouffaient des sauterelles, *Amen*.

(Parce que nous, braves descendants de Français toujours les mêmes, paysans butés, qu'ils soient à Cayenne ou à Ville-Marie *nous*, nous avons perpétué la banque du bas de laine.)

— Le problème, Jack, ce fut la dévaluation : nos gros sous durs polis, nos sous durcis de paysans, adorés en cachette les soirs de lune blanche, nos sous ronds ne peuvent plus rien acheter. Tu as dit « gardez la monnaie je me tire»! Jack, t'as eu du génie...

63. — Vous oubliez de vivre! disait Madeleine malheureuse comme les pierres, elle qui après la pharmacie croyait qu'elle posséderait l'univers. (Nous n'avions pas encore appris à diviser le monde entre pauvres et riches, maîtres et serviteurs.) C'était plutôt : Dieu et les fantômes, ou l'archange Gabriel sourit à Rockefeller et lui demande dans un grand cri :

— Comment se faire des Amis ?

64. Pour rigoler j'appris à Madeleine à conduire et nous tenions, les samedis soir, des concours de motos sur glace, parcourant les bords gelés du lac Saint-Louis dans un chassé-croisé de phares jaunes et de lumières bleues : le pays s'illuminait de neige, du Sainte-Claire

Hotel s'échappaient des effluves de jazz. Au loin, tout au loin, les étudiants du Macdonald College nous narguaient :

— Ils font de la voile, sur patins, avec des fanaux accrochés dans les mâts. On les poursuit ?

De temps à autre un bateau flambait, une moto piquait du nez dans l'eau.

IX

65. — C'est le rayon de la mort ! !

Patricia joue avec le triangle aigu d'une glace brisée, le tenant fermement entre le pouce et l'index repliés ; elle promène un maigre reflet de lumière sur le mur d'en face ; le miroir joue un peu la torche électrique et la lueur à la fois réfléchie et décomposée forme sur le plâtre blanc une tache ronde, presque parfaite, et dont les bords sont hérissés de bleu jauni ;

(le corps légèrement penché en avant, bien assise sur ses talons, les cuisses à peine entrouvertes, ses seins comme des fruits mûrs — ni poires, ni oranges, ni pamplemousses, des fruits — le dessous du pied diaphane : une peau comme un dessus de tambour, tendue ;)

elle déplace le rayon dont la tache va s'écraser à une vitesse vertigineuse contre un tableau, un coin de mur, contre les meubles, raye le plafond, perce la porte : Patricia rit parce qu'elle imagine la ville qui se désagrège sous cette lumière, la ville qui se met à genoux devant elle.

Patricia s'offre au monde ; mais le monde entier s'en

fout et ne vient pas ; seuls ses yeux, comme des écureuils en cage... (il y avait, au Musée national de Mexico, un serpent de pierre verte qui, dans cette même attitude d'attente, d'angoisse maîtrisée, de force, de séduction...).

— Could you in my new play take the part of a mysterious wine merchant looking for a rare scent...

— Tu ne cherches plus de raisons de vivre et tu veux jouer maintenant ?

— I live — it's sufficient.

— Tu vis à vide chérie.

Par les fenêtres tout autour du Castle les paysages s'offrent comme autant d'illustrations de livres d'enfants, de dessins d'almanach, de photographies pour calendriers sous lesquelles les *general stores* ajoutent leur numéro de téléphone et une citation de César, parfois de la bible ou de Bernard Shaw.

J'ai ouvert une énorme cruche de chianti que je déguste à jeun pour la joie, pour la terreur, pour l'ivresse qui arrive sur un cheval blanc je vous salue Benito Fiat et Vatican, une énorme cruche de vin rouge comme l'amour, une cruche pour noyer les fascistes, les chrétiens à charte romaine les colons les capitalistes les imbéciles les évêques les empêcheurs de pousser droit une énorme cruche où cacher notre petitesse, notre mesquinerie... « qu'on m'amène des géants » ! Je ne veux plus me souvenir.

66. (Ce printemps-là Montréal n'était que pierre sur pavés...) Nous entreprenions le processus le plus simple: détruire un mythe, le remplacer par un autre. C'étaient les conditions mêmes de la création. Gauthier, dans son grand cahier d'écolier, rayé de traits bleus, écrivait suivant la calligraphie imposée par un transparent aux enfants brouillons

Le fleuve Saint-Laurent est le plus beau fleuve du monde

Le fleuve Saint-Laurent est le plus beau fleuve du monde

Le fleuve Saint-Laurent est le plus beau fleuve du monde

ligne après ligne phrase après phrase cette même affirmation le fleuve Saint-Laurent est le plus comme pour créer un envoûtement du monde cette formule le fleuve Saint-Laurent magique est le plus beau fleuve répétée inlassablement du monde le fleuve des pages et des pages jusqu'aux Laurentides des nuits d'application d'affirmations heureuses. Mythe après mythe.

67. Vinrent les dernières giboulées.

Puis la neige de mars qui n'avait pas encore fondu se transforma en sucre grossier. Les enfants en mangeaient en jouant, puisque déjà le vent asséchait les lèvres et que l'eau glacée — dans la bouche entre les dents — était agréable, humectait les commissures, se réchauffant peu à peu, venait à prendre la température du palais et de la langue ; avalée elle laissait un goût âcre dans la gorge qui demandait qu'on en reprît.

68. Etre chez soi sans y être.

Je suis bien en toi, dans toi, collé à ton corps je t'aime Patricia j'aime ta peau, le grain de ta peau à fleur de doigt, l'odeur que ton corps donne au parfum. Je suis bien dans ta peau.

Dans la mienne je me sentais mal à l'aise, de plus en plus mal à l'aise. Comme si j'étais chez moi sans y être. A chaque printemps les mêmes espoirs déçus. *Nous ne savions pas,* ni Madeleine ni moi. (De même sans le savoir tout un peuple toute une ville s'acharnaient à mériter l'espace que d'autres avaient conquis, la lumière par d'autres inventée —)

Le ciment des trottoirs apparut. Les pluies froides d'avril teintaient les jours, la neige accumulée était grise maintenant ; dans les rues traînaient ordures, déchets, vieux journaux que par lassitude (forme raffinée de l'oubli) on avait ensevelis pendant l'hiver entier aux abords des maisons ; le tout donnait à certains midis des odeurs et des couleurs semblables à celles que les voyageurs de l'arctique disent rencontrer aux abords des villages esquimaux...

Ce printemps-là je n'aurais pas hésité deux secondes entre la révolution rêvée (cauchemar de salon) et le lit de Patricia. Car depuis quelques semaines c'est à peine si elle était venue prendre son courrier ; pourtant tout dans la maison malgré Madeleine me rappelait son corps : elle n'avait fait chercher aucun vêtement, ses bas traînaient sur les radiateurs, ses blouses empilées dans les armoires ouvertes, ses souliers de daim en travers du corridor laissaient croire qu'elle s'était absentée pour aller acheter le journal peut-être, des cigarettes aussi, qu'elle allait revenir d'un instant à

: ses livres sur le réfrigérateur, trois fleurs séchées dans un verre teinté que l'eau évaporée avait orné d'un cerne à mi-corps... une semaine ? Deux sans doute...

— Au fond : dans ce bordel on sert de l'eau bénite et on couche avec le vainqueur. Moi je vous le dis : nous vivons dans de la merde.

Gauthier criait de plus en plus fort. Ce qui ne nous empêchait pas le lendemain matin de retourner accomplir un travail ridicule pour un maigre salaire, ce qui ne nous empêchait pas de trembler dans la crainte de le perdre ce travail, l'autorité... vertu d'obéissance ? Le bon goût jusque dans la révolte peut-être ? Ou alors étions-nous comme ces esclaves affranchis qui ne peuvent s'habituer à marcher sans porter le poids des chaînes... (ou était-ce l'ignorance ? Je me souviens qu'à dix ans quand venait le dimanche nous prenions le tramway 29 jaune et moderne réservé aux beaux quartiers — puisque les gens bien ne déchirent pas les sièges eux — jusque dans la montagne. Ce jour-là le 29 n'était d'ailleurs fréquenté que par des familles entières venues de l'est de la ville admirer les grasses pelouses d'Outremont. *Nous n'avions pas d'envies.* Nous ignorions jusqu'à la notion de classe. Pour nous les riches avaient raison : laissaient-ils dormir une Cadillac noire (neuf places et strapontins) devant les portes doubles d'un garage aussi vaste qu'un pavillon de banlieue ? Ils méritaient ce luxe. Comment aurions-nous su quel égoïsme...)

Le printemps s'installa.

La montagne, au centre de la ville, laissait couler de partout une eau glacée, furieuse ; fondues, les neiges se précipitaient dans des caniveaux trop petits. Les enfants jouaient aux marins (comme leurs ancêtres), promenant des bâtons dans les trous d'eau qui se multipliaient au bas des rues, dans les rigoles, dans les ruelles aussi, où le soleil faisait jour après jour apparaître quelques centimètres de béton, suivant la lente progression d'un travail méticuleux qui devait durer jusqu'à la pleine chaleur ; cet instant béni où nous pouvions porter souliers, écraser le sable répandu pendant l'hiver pour ramollir la glace !

Renaissaient alors le sang, l'appétit [aussi le Jeudi saint printanier encourageait une croyance locale voulant que la visite pieuse de sept églises (les sept collines romaines ? les sept péchés capitaux ? Come on seven come on seven) et une prière en chacune d'icelle effaceraient le temps que (pécheur) le visiteur eût passé en purgatoire. Le Jeudi saint étant souvent ce premier jour où les Montréalais sortaient en manteaux légers et souliers cirés, la foi n'avait alors plus d'âge : de vieilles femmes faisaient le pèlerinage — dont plusieurs trichaient disant sept églises différentes ou sept fois la même église le mérite serait le même — mais surtout les jeunes filles et jeunes hommes qui quittaient leurs quartiers partout dans la ville pour en visiter d'autres, à pied, donnaient aux rues un air de fête paresseuse. Des manteaux courts, bleu poudre, jaune coquille, rose saumon, des habits noirs, navy blue, des blaisères de collégiens, un ballet dans le soleil à nouveau gaillard, des cris d'un trottoir à l'autre, des sifflets, des soupirs, des chansons grivoises pour attirer l'attention...

A la troisième ou quatrième visite, habituellement, les mâles de l'Immaculée avaient coincé dans une chapelle les filles de Rosemont pendant que ceux de Saint-Henri racolaient celles de Westmount sur le palier de la cinquième église, et les autres, de Côte-des-Neiges ou du quartier N.D.G., se rattrapaient au restaurant: la plupart en effet n'arrivaient jamais à la cinquième visite, les plus timides se laissant payer un coca-cola chez le restaurateur grec du coin pendant que les autres disparaissaient soudain, enfilant une ruelle, ouvrant un garage, se cachant dans des automobiles et derrière les presbytères surtout, sous la vaste galerie d'usage.

Là, pendant qu'à trois heures, conformément à la légende, le ciel s'obscurcissait et qu'un nuage gris couvrait invariablement le soleil (comme le linceul de Véronique la face du Christ) pour rappeler aux croyants et aux incroyants que demain Jésus allait une nouvelle fois mourir sur la croix, Lise Jeanne Rose Andrée Louise Michèle et Suzanne se pâmaient d'aise, de plaisir ou de douleur, suivant que c'était la deuxième, la nième, ou la première fois qu'elles goûtaient au clou bien ferme qu'un collégien boutonneux mais vibrant venait de leur enfoncer, au risque après tout de salir le manteau de Pâques, ou de perdre le chapeau de paille dans l'aventure; le collégien découvrait pour sa part que si la vérité se cachait quelque part, ce pouvait bien être entre deux cuisses bien fermes, sans gerçures, bonnes à serrer puissamment.

Il arrivait aussi que des couples repus, pour apaiser leur conscience, au moment où les lumières des rues d'un seul coup s'allumaient, se glissassent dans la septième église prévue, s'avançassent jusqu'à la sainte table, s'agenouillassent devant la lampe du sanctuaire, elle lui soufflant à l'oreille que c'était là les dimensions rêvées d'un organe génital à cultiver, lui, roulant des yeux, amoindri tout à coup].

Madeleine, Madeleine nous échangions des souvenirs comme au marché, faisant vivre Montréal au niveau de ses superstitions. La moto, en plein printemps, devint un instrument d'ivresse.

X

69. [Patricia est assise sur une chaise trop haute pour elle, ce qui lui donne l'air inhabituel d'une petite fille modèle *(Chère enfant, tu me dis souvent: « Oh! grand-mère, que je vous aime! Vous êtes si bonne! » Grand-mère n'a pas toujours été bonne, et il y a bien des enfants qui ont été méchants comme elle, et qui se sont corrigés comme elle. Voilà des histoires vraies d'une petite fille que grand-mère a beaucoup connue dans son enfance; elle était colère, elle est devenue douce; elle était gourmande, elle est devenue sobre; elle était menteuse, elle est devenue sincère; elle était voleuse, elle est devenue honnête; enfin, elle était méchante, elle est devenue bonne. Grand-mère a tâché de faire de même. Faites comme elle, mes chers petits enfants; cela vous sera facile, à vous qui n'avez pas tous les défauts de Sophie.*

COMTESSE DE SÉGUR, NÉE ROSTOPCHINE

) au bout du nez des verres qu'elle refuse souvent de porter; depuis tout à l'heure elle suce son stylo, réfléchit en marmonnant; face à face nous faisons les comptes des richesses et des dettes accumulées dans le plus beau style directeur et directrice d'usine française au bord du Cher.]

70. — Tu ne m'as jamais raconté ce que tu fis en avril, cette année-là, pendant que

Elle agite un bec de pinson...

Eastview Castle craque de partout comme une vieille barque, oscille sous les vents printaniers qui partent tantôt des lacs à demi gelés des terres de Baffin, tantôt des marais grouillants croassants bruyants des savanes de la Floride, et quand ils se rencontrent dans le parc devant la maison ou à l'orée du bois derrière le jardin, ils font des tourbillons devant nos fenêtres blanches, délogent les oiseaux ébahis qui déjà cherchent à nicher dans les meurtrières, cassent les glaçons qui — comme des stalactites de verre s'accumulant sous les balcons — tombent avec un bruit sourd; puis soudain les vents s'arrêtent, essoufflés sans doute, créant l'espace d'une seconde un silence tel qu'on croirait entendre la terre tourner...

— If you ask *me* I don't know. She was so nice to me and all; I loved her I suppose, really...

puis me regardant dans les yeux:

— ... tu aimes te faire mal ou peut-être tu tiens absolument à jouer les jeunes époux ? Tu sais, les querelles d'après-midi ne me disent plus rien.

— Je bats des ailes, je bats du cœur, mais c'est simple curiosité ma sœur...

— *He was,* c'était un vieux aux cheveux blanc persil, pommadé comme un cadavre si riche que la poudre d'or lui coulait des oreilles quand il tournait brusquement la tête, quant à elle

— quant à elle ?

— Je ne puis te décrire sa douceur ; elle marchait dans une *aura* de volupté ; c'est difficile ; un clitoris vivant ? Entre les deux je vivais sans peine, et c'est parce que tu me ramenais à d'autres réalités peut-être que je t'ai mal reçu, ce jour-là :

la bibliothèque de l'université, comme un fauteuil 1920, trop rembourrée, trop vaste, clinquante comme tante Ursule lorsqu'elle donne un cocktail, peluchée des plafonds aux planchers ; des fenêtres gothiques si haut placées que le concierge n'en pouvait atteindre les fils d'araignée ; et par ces verres de couleur une lumière verdâtre tombait comme une poussière insuffisante ; sur des tables de bois si lourdes qu'on se serait cru à la guerre trônaient des lampes-obus en cuivre patiné avec commutateur au bout d'un serpentin blanc ; le tout mis en place de telle sorte que le lecteur pouvait ainsi créer une intimité feutrée avec son cercle lumineux bien à lui et se séparer de *l'autre* par un mur d'ombre de poussière de *silence please,* dans un bruit mat de reliures pleine peau qui retombaient sur les tables...

Patricia, au fond de la salle, près du comptoir des bibliothécaires (debout, studieuse, attentive à ce qu'elle faisait). Son professeur m'avait dit : elle termine une thèse, vous l'y trouverez. Croyant créer dans la pénombre, avec le feu offert, une complicité certaine, je l'amenai fumer sous le porche.

— Patricia.

— Comment est Madeleine ?

— Pourquoi ne reviens-tu pas ?

— Tu es pauvre et les pauvres ça me dégoûte.

— Tu vas bien ?

— Embrasse ma main.

(je fis comme elle disait)

— Jappe maintenant !

Je dus écraser du pied la cigarette qu'elle jeta toute allumée sur le tapis de cisal, puisque. Je ne savais plus quels vols, quels faucons appeler.

(Les rues débordaient de voitures. Je me surpris à marcher dans Montréal qui se cachait sous des néons papillotants virevoltants sous des affiches étourdissantes criant l'appétit obligatoire pour les olives gattuso, le cinéma du samedi soir et des autres jours, les teintureries fermées, les églises ouvertes. Dans certains quartiers, je me disais : je suis à New York sûrement dans la sixième avenue car voici la cinquante-deuxième rue quel plaisir c'est de marcher à New York, on y peut compter les étages des gratte-ciel ou ses pas, ou même les rues (si on en oublie, une affiche, entre deux feux de circulation, renseigne sans insister), de temps à autre des murs entiers de béton grillagé, de temps à autre un trou une bouche béante un chantier, ou bien des façades lacérées par la pointe des couteaux portoricains, ah New York est une bien grande ville bien de son siècle bien de son temps c'est comme Montréal d'ailleurs qui mène à Lachine Verdun L'Abord à Plouffe l'Aval des Rapides, la route des Indes...

D'un sourire fatigué elle avait dit : *je t'achète ?* Avec ses seins comme des pommes sous un pull pour Adam ; marchant l'estomac vide je n'avais aucune peine à me dire *ailleurs,* pour fuir le marché (à Quetzalcoatl ce fut le même scénario, mais on mit plus de discrétion dans les dialogues et c'est le père lui-même qui le premier me parla d'argent : il n'en voulait pas tant ! mais l'eau, si, si, qu'il fallait acheter en bonbonnes, le café, le chien à nourrir, la fille évidemment sa préférée, la poule du dimanche...)

Je marchais. Plus loin je me surpris à dire : comme Paris a changé : les maisons comme des gosses ont grandi les rues sont plus larges les pierres moins grises il n'y a plus de 2 CV ici dormit Breton une nuit entière sans cauchemar — il était de passage — les rues de Paris, etc. Comme un poème : rue Saint-Denis, square Viger, rue des Commissaires, la nuit entière avec quelques arrêts obligatoires une bière un café des frites, jusqu'au matin jusqu'aux camions de moins en moins lourds jusqu'aux pigeons gelés jusqu'aux chevaux maussades ; puis le port endormi à peine dégagé des glaces ; là des oiseaux aussi blancs que les banquises y tournaient en ellipses de plus en plus vastes derrière les cuisines des pétroliers, jusqu'à se placer entre le soleil blême et moi faisant, lorsqu'ils reprenaient le vent, très haut, une tache sur le béton des silos à grain comme une ombre furtive, inquiète, vite dévorée par la lumière,

(Patricia — y avait-elle songé ? — portait un nom dont on aurait pu baptiser le premier paquebot en partance...)

Je n'allai ni au travail, ni retrouver l'équipe : je me précipitai dans notre San Francisco, j'y dormis profondément, épuisé, essoufflé, la tête pleine de goélands, les yeux scellés par des histoires à dormir debout, dans les oreilles les récits de Pierre Loti et des odeurs de baleine bleue mon fils ne veux-tu point venir, plein les narines (dans une rumeur lointaine, persistante, assourdie par les rideaux tirés sur les fenêtres fermées, la ville vécut vingt heures pendant lesquelles son image ne sut remplacer les plages rêvées de l'anse-aux-sables. Je dormais tantôt à poings fermés, tantôt comme un vieillard nerveux. Mais on aurait pu rayer Montréal de la carte, aplanir la montagne, je ne m'en serais point aperçu.) Madeleine veillait, assise dans le grand fauteuil de cuir que nous avions acheté à crédit.

— Tu as beaucoup bu ?

— Sait-on jamais.

— Patricia ?

— Hahein.

— Tu l'aimes à ce point ?

— Mais non Madeleine c'est toi qui

— Alors pourquoi as-tu bu ?

— Est-ce que je sais !

— Tu as vu Patricia oui ou non ?

— Oh si peu ! On ne la tient pas en cage comme une perruche !

— Je m'inquiète.

— Ne m'en veux pas Madeleine, mais j'ai tant parcouru de chemin avec elle, du kiosque à musique à la bibliothèque d'hier, que c'est un peu comme

— Frère et sœur ?

— Non, quand même. Tu ne peux comprendre. Ça va être long et pénible, c'est tout.

Il me restait à donner à mes souvenirs l'allure étale des lacs endormis sous leur peau bleu de prusse.

71. Les jours devenaient plus longs. Le printemps céda sa place, en se faisant prier bien sûr comme une cousine au piano ; les jours devenaient plus chauds, le vert duveteux des feuilles-enfants colorait curieusement le coin des rues, embarrassant les teintes de gris qui se trouvaient aux murs. Madeleine fut enceinte. C'était arrivé un dimanche matin. Et puis tant mieux.

72. Quand, à la fin mai, Patricia vint chercher ses valises (elle rentrait chez elle, c'étaient les vacances), je la trouvai plus belle qu'en mes souvenirs, plus jolie surtout, plus à l'aise : aussi elle avait appris l'art du maquillage — et parce que tout ce qu'elle faisait elle le faisait bien — sa tête avait des tons curieux, des airs à la fois mûrs et naïfs, des yeux adoucis ; seul son rire

n'avait pas etc. Je l'aidai à descendre ses bagages ; nous agissions poliment, en amis de toujours, silencieux cependant, à cause du chauffeur peut-être qui nous épiait ; avant de monter dans le taxi, elle se retourna vers moi : I believe I still love you or maybe I don't ; goodby je ne sais plus : au revoir ! puis sans sourciller s'assit à côté du chauffeur, ferma la portière et me laissa dans la position ridicule de celui qui a raté un pourboire. Madeleine remonta aussitôt. Pendant que le taxi se mêlait aux autres voitures, je me disais : si t'étais un homme tu courrais derrière ; puis : après tout c'est trop con Patricia ou bien une autre, les bonnes femmes, on s'en fout. Je traînai les pieds dans le sable sec qui envahissait le trottoir depuis un immeuble encore tout entier en sacs de ciment et pylônes d'acier (évitai de justesse les chaînes noires et rouillées d'une grue qui se mettait en place) pour atteindre le petit kiosque crème et vert décoré de revues fades et de scandales au fond duquel un vieil Israélite emmitouflé comme au plus creux de l'hiver disparaissait sous des piles de journaux sentant bon l'encre fraîche et la nouvelle.

Sur six colonnes, un quotidien titrait généreusement : « Un séisme fait 400 morts au Maroc » ; le journal sous le bras, rentrant à la maison, je me sentis plein de sainte compassion pour les villageois engloutis, pour les hommes et leur condition, pour le piéton qui me bouscula, pressé d'attraper au vol un autobus trop plein, pour moi-même aussi, et eussé-je été sur la scène et non sur le trottoir l'héroïne se serait mise à pleurer...

(Je me moquais, je riais jaune comme lorsque Patricia parlait de San Francisco, me cachant peut-être que nous connaissions la mort et les sorcières par la radio, les journaux, l'actualité, la *Nouvelle* — d'une façon intime — et que nos conversations courantes tenaient compte des guerres des tornades des raz de marée des barrages écroulés; dans chaque frisson de notre corps d'enfant nous avions vécu l'aventure de Hans et Gretel aussi vraie, dans notre imagination fiévreuse, qu'Hiroshima, les loups, Auschwitz, les ogres...)

73. La même semaine Madeleine mourut (ou se donna la mort), décapitée par l'arrière d'un camion, alors qu'elle roulait seule sur ma motocyclette trop lourde pour elle sans doute.

Bêtement, crûment, le front appuyé dans la paume de mes mains moites, assis à l'Expresso Bar, je ne parvenais qu'à me répéter (comme un écho dans la tête), une phrase sûrement glanée dans un mauvais livre ou dans les dialogues de fortune des films accumulés semaine après semaine (un film une cigarette):

— *Elle emportera en terre son secret elle emportera en terre son secret.*

C'était à gueuler: cette terre ? ce secret ? Comme la fin d'un film avec une musique doucereuse et le regard compassé du héros qui, en plan moyen, fixe le cou de l'héroïne, puis tous les deux dans l'écran et le héros sans sourciller malgré tous les gens qui regardent: elle emportera en terre et cætera, mon dieu la caméra qui se met à reculer, reculer à toute vitesse comme si elle en avait assez de ce genre de dialogue.

Je leur avais dit pour l'enfant. Emus plus qu'ils ne l'admettaient, nos copains étaient l'un après l'autre venus à l'Expresso. Mais les conversations étaient pénibles et je n'avais aucune intention de les alléger. Madeleine morte il me restait bien sûr à vivre, mais comment se débarrasse-t-on d'un cadavre en vingt-quatre heures ? (Elle avait souvent dit qu'elle rêvait d'être un jour emmurée vivante comme dans les contes de cape et d'épée, et que, en 1999, démolissant une maison, les ouvriers de la Beaver découvriraient alors son squelette gris entre deux couches de briques et de plâtre ; les journaux publieraient en première page la photo du Squelette Mystérieux, on se demanderait s'il s'était agi d'une peine d'amour ou d'un crime, et qu'avait pu être cette maison à l'époque à laquelle remontait la mort ? Une pension religieuse, un bordel, la demeure d'un ministre peut-être ?...)

Madeleine qui aimait la vie mourait stupidement ; mais ce qui me terrifiait le plus, dans cette aventure soudainement terminée, c'était surtout ce silence énorme, inattendu ; Madeleine mon amour ne pouvait désormais ajouter un mot à ce qu'elle avait dit, ne pouvait plus *répondre*, ne pouvait donner naissance à ce fils que

(Ce silence inquiétant, énorme. A Eastview Castle, j'ai aménagé un bureau dans la tour sud, où les yeux grands ouverts d'une chouette empaillée me regardent tourner en rond. La chouette et moi sommes les seuls oiseaux à qui Patricia oserait d'ailleurs confier la garde de son château. De temps à autre, je prends mon vol par un créneau, je plane, je ramène une fleur bleue dans de la mousse noire, une souris blanche par la queue, une grenouille verte et brune (et jaune) que je dépose à ses pieds, en hommage à celle qui m'héberge malgré mes quatre bosses et mon allure de gnome et ma tristesse).

(Aujourd'hui je peux le dire ; les chiffres eux ne mentent pas ; mais la puissance de sa fortune s'évaluerait tout aussi bien par ces visites attentives et intéressées que nous font les politiciens et les évêques. Elle les reçoit, les écoute patiemment, leur donne ce qu'ils demandent, puis tient elle-même une comptabilité exacte des consciences. Le soir, la nuit, elle invite à dîner des couples aussi riches que beaux dans notre vaste salle à manger rouge et or sous le *seul* lustre de cristal de toutes les prairies ! Nous sommes toujours d'agréables hôtes, enjoués, vifs. Elle a soixante-cinq ans depuis hier. J'en ai cent vingt-trois ; j'ai perdu une à une toutes mes dents, peu à peu m'ont poussé de longs cheveux bleus, et la peau flasque sous mon menton a peut-être jauni, mais je réussis à me déplacer à quatre pattes, et encore avec dignité, tout de même.)

— Et si l'enfer existait eh les gars si l'enfer ?

— Ta sœur elle en a un enfer dis ?

— C'est une idée ça ! Ça m'intéresse l'enfer de ta sœur, parce que j'ai justement un bout de bois à y brûler !

— Zêtes une bande de cons.

Tout nous était prétexte à retarder le départ vers le salon mortuaire où nous avions convenu qu'il fallait aller. Jeanson et Lacroix se tapaient sur la gueule. Nous attendions. Madeleine ne m'appartenait déjà plus : ses parents l'avaient reprise pour la pleurer, moi

XI

74. Plus que tout symbole, une discrétion voulue distinguait la façade du salon mortuaire de celles des autres maisons commerciales. Un vaste rectangle de ciment moulé, face à la rue, à peine brisé par la ligne des étages, écrasait un rez-de-chaussée en pierres artificielles dans lesquelles un forgeron avait piqué des lettres de fer noir dont le caractère hésitait entre la majesté et la prétention.

Dès le portique, cela sentait bon la sécurité, la lavande, l'encens et la rassurance. Des lampes aussi lourdes que hautes sur pied, des tentures fleuries, doublées de coton blanc, des moquettes tout-laine répandaient le silence comme une odeur subtile, tamisée par un éclairage en demi-jour ; on avait pris soin de laisser autant de coins d'ombre qu'il en fallait pour permettre à qui le voulait de pleurer discrètement (ou avec une ostensible discrétion).

Il n'était que deux heures de l'après-midi, et nous étions seuls (dans le vestiaire d'un hall qui faisait penser à la gueule d'une baleine), car les gens vont aux morts le soir, comme on va au cinéma après dîner.

Il fallait choisir entre huit portes équidistantes — quatre dans le mur du fond, deux à droite, deux à gauche — qui donnaient dans un corridor assez large dont le tapis couleur de beaujolais se voulait sans doute une marque d'amour, de sang (ou plus simplement d'une teinte qui ne se salirait pas trop à l'usage).

A deux inches du bois verni des cadres de porte, de petits panneaux noirs en ronde-bosse dans lesquels des lettres blanches de celluloïd, fichées sous pression, se contentaient de donner l'âge et le nom :

Alain (Marie-Louise)	75 ans
Charlebois (Léopold)	56 ans
Deshaies (Eugène)	75 ans
Guilbaut (Denyse)	26 ans
Martin (Adelia)	57 ans
Coulombes (Madeleine)	19 ans
Roussil (Léo)	50 ans
Sauvé (Alphonse)	65 ans

Dans chaque salon, un cercueil à demi ouvert laissait voir le corps, de la tête à la ceinture, avec invariablement les mains jointes sur un crucifix ou retenues par un chapelet en bois de rose noué. Et ces cadavres souriants dans le silence...

Décor théâtral. Et les petits salons vides comme des églises le lundi ; les uns s'esclaffaient riaient se tapaient les cuisses disant : n'oublions pas de rendre visite à chaque macchabée pour qu'ils ne nous punissent du haut du ciel et même s'ils ne semblent pas s'ennuyer...

Madeleine avait un épiderme cireux, sur lequel on

avait jeté de la poudre pour cacher une teinte légèrement bleutée. Ce n'était déjà plus elle, Madeleine notre amie, mon amour.

Et nous étions bien bêtes, les bras le long du corps, regardant le bois précieux et ciré, les poignées de cuivre astiquées, dans lesquelles se miraient les flammes rythmiques des bougies, évitant surtout de fixer trop longtemps ce visage.

Nous ne savions que faire de nos mains. Gauthier — de nous tous le seul croyant — se mit à genoux les yeux baissés sur le velours rouge du prie-Dieu, comptant probablement les clous dorés du cercueil, faisant craquer ses doigts nerveusement.

Les minutes tombaient comme des éponges saturées d'eau de chaux. Puis je me mis à chercher les formules mécaniques les Seigneur pardonnez-leur parce qu'ils ne savent pas introïbo ad altare dites seulement une parole et mon âme par ma faute par ma faute pater noster ces prières apprises à l'école qu'enfant j'utilisais pour distraire la douleur jusque sous la fraise du dentiste ave maria mais ne me venaient aux lèvres que des appels désespérés des comptines aussi Jack and Jill went up the hill un deux trois quatre; ils l'avaient eue; mon âme! ma p'tite vache a mal aux pattes je vous salue Marie pleine de grâce tirons-la par la queue le Seigneur est avec vous elle deviendra mieux vous êtes bénie entre toutes les femmes dans un jour ou deux; quand je me surpris à compter autour de moi *inimi nimaïnimo, catch a nigger by the toe* pour savoir lequel d'entre nous serait le suivant à crever; étourdi, écœuré par le parfum stupide des œillets des chrysanthèmes des roses des lis des pensées des saint-Joseph des crocus et des glaïeuls, les larmes aux yeux parce que cette vie j'y tenais comme une religieuse tient à sa virginité, mais baissant les épaules pour me donner bonne contenance, les mains dans les poches, je retournai dans le hall allumer une cigarette et j'aspirai lentement délicieusement une odeur vivante : celle du tabac chaud qui grillait. Au bout de quelques instants, voyant que les autres ne me suivaient pas, je me précipitai dans la rue : *Madeleine adieu.* (C'était à perdre pied : la mort ouatée du salon m'avait fait oublier dans quel bruit nous vivions. Du haut de l'escalier on pouvait suivre les automobiles qui se poursuivaient, se fuyaient, se dépassaient, freinaient brusquement, bloquées par un piéton obstiné, par un feu obligatoire, par un embouteillage imprévu ; le vainqueur n'avait pour ultime satisfaction que de se croire le plus habile, de tenir la tête du peloton dans la Côte-des-Neiges, et allait immanquablement se frapper le nez contre un feu rouge deux rues plus loin.)

Je m'éloignai des salons, pensant : après-demain il y aura un long fourgon noir, un fourgon brillant comme un téléphone neuf, des Cadillacs de louage, et la famille réunie suivra le maître de cérémonie dans une lente procession où des camions chargés de fleurs tiendront les rôles tragi-comiques. Il y aura le trou qu'on creuse la veille pour le matin dans le terrain pierreux du cimetière de Saint-Sulpice ; il y aura, vers onze heures, la poignée de terre, le crucifix que le prêtre décrochera en souvenir, les chants funèbres, l'église dans laquelle j'avais juré de ne jamais remettre les pieds;

Je marchais: il y aura l'envoûtement dernier par lequel les femmes feront d'elle leur morte, la rendront à la vie magique du christianisme; elles distribueront d'ailleurs cette petite photo-souvenir où sous son nom, son âge, le lieu de sa naissance, on lira une prière — cinq ans d'indulgences — agréée par Pie XII.

75. J'avais mal au cœur et le besoin de m'oxygéner l'emporta. Je marchais en ne pensant plus qu'à éviter les lignes du trottoir pendant que devant mes yeux se brouillaient le sourire de Patricia et les yeux de Madeleine et derrière j'entendais les cris de mon fils peut-être. Je me surpris bientôt à m'enfoncer dans la montagne que l'été naissant avait enfin réussi à séduire. Dès que le soleil disparut derrière les toits, le chuchotement du soir s'agrippa aux arbres. De temps à autre l'appel guttural, comme celui d'une poulie rouillée, d'un faisan caché dans les buissons, m'était prétexte à reprendre haleine: je m'arrêtais alors, cherchais l'oiseau des yeux, tressaillant à tout bruissement,

(Je suis seul, incapable de courir, je recule épouvanté, de plus en plus vite, à mesure que la peur gagne, s'empare de moi, je cours comme si je faisais du sur-place, *impuissant;* de temps à autre le cri guttural d'une sorcière dont je reconnais les traits sans pouvoir la nommer me force à reprendre haleine: je m'arrête, prenant ma tête entre mes mains je la laisse tout à coup tomber et rouler jusqu'au bas de la pente...)

(Dans la neige cette fois. J'ai cinq ans. Je ne vois rien dans la tempête, ni ma mère, ni les autos qui viennent vers moi leurs phares atténués par l'épaisseur même des flocons ; je suis renversé tout à coup : j'entends le cri guttural d'un homme qui hurle à perdre haleine : je cherche des yeux mais sans doute la douleur me force à m'endormir, étourdi de froid. Puis, soudain, j'ai très très chaud. Une chambre d'hôpital, un projecteur qui me brûle les yeux, mais le linge est blanc et la main de ma mère ; je me rendors.)

76. Il faisait salement chaud à force d'escalader un monticule après l'autre et courir pour grimper aux talus. Dans l'herbe toute neuve j'écrasais des pissenlits par bouquets ensoleillés.

L'ombre gagna les arbres. La nuit tombée j'avais enfin réussi à ne plus penser, à ne plus penser du tout. J'atteignis bientôt le parapet des touristes (construit pendant la grande crise pour occuper les hommes). Plus bas, au pied de la falaise, on voyait la ville s'agiter, les rues s'éclairer, mais la musique qui parvenait du restaurant municipal, derrière les arbres, créait sa propre trame sonore, accaparant l'espace entier comme si Montréal en avait le souffle coupé et se contentait de murmurer. Des heures passèrent, je crois, je ne sais plus.

Quand je m'y décidai je ne parvins pas à descendre vers le centre commercial; à chaque carrefour j'empruntais la mauvaise route, insensiblement j'enfilais une ruelle après l'autre pour déboucher tout à coup dans la rue des Coulombes — après autant de détours que de mensonges — où seule leur maison dont je m'approchai était encore entièrement illuminée.

Derrière des rideaux mal tirés on pouvait voir une femme (sa mère ?) qui marchait de long en large sans cesser de parler (les fenêtres à demi ouvertes à cause de la chaleur devenue excessive permettaient même d'entendre des bribes de conversation comme des bouffées de mots), elle s'adressait à un homme dont seule la tête, du trottoir où je m'étais immobilisé, dépassait le dossier d'un fauteuil apparemment de couleur sombre.

De temps à autre, le chant nouveau des grillons verts plus puissant que le monologue de cette femme m'arrachait à ces fenêtres fascinantes comme de petits écrans de télévision. L'odeur des pelouses, arrosées méthodiquement par des tourniquets mécaniques, mordait l'air. Au second étage, une vitre s'éclaira, ajoutant soudain un rectangle nouveau dans lequel l'ombre chinoise de Monique se dessina de plus en plus précise, à mesure qu'elle approchait son front de (je l'avais à quelques reprises rencontrée en compagnie de Madeleine et de quelques copains; elle était à peine plus jeune que sa sœur, sûrement belle, mais timide, avec une sorte de réserve fascinante qui laissait prévoir peut-être beaucoup plus qu'elle ne saurait jamais donner),

Monique me vit dans la lueur qu'un lampadaire crachotait sur l'asphalte. J'aurais dû courir sans doute, ou tout simplement m'en aller du pas précis de celui qui s'est arrêté un instant seulement pour renouer le lacet de sa chaussure, allumer une cigarette tournant légèrement la tête, une main contre la figure pour protéger la flamme du vent ; elle disparut, j'attendis quelques instants, fixant la fenêtre vide ; puis une porte en chêne ciré s'ouvrit et elle vint vers moi.

77. Bien avant l'aube, l'air refroidit ; elle voulut rentrer (« je frissonne »). A l'enterrement qui est le seul moment où je la revis, Monique ne fit allusion ni à notre rencontre, ni à la nuit, me disant : « *Merci d'être venu* » de telle façon que je ne sus jamais si elle avait voulu dire : merci d'être venu ce matin à la cérémonie ou : merci d'être venu, avant-hier, faire l'amour dans la nuit, dans l'été.

(Ce n'est pas tellement l'âge aujourd'hui qui m'épuise ; ni de si peu faire l'amour (cela me porte bien sûr à des tristesses excessives), mais à tourner en rond autour du puits sans jamais y pouvoir plonger, me chagrine. Assise sur la margelle, Patricia chaque fois qu'elle peut crache dans l'eau. Et c'est la seule que nous ayons. En fait je me sens plus malade que vieux : aussi dès que je m'arrête, ne fût-ce qu'un instant, pour me reposer, à peine suis-je étendu sur les dalles polies, couché de tout mon long, et que le rythme de ma respiration se calme comme les eaux, je sens alors partout dans mon corps des pressions subites, comme si tout mon sang voulait passer par ici, par là ; puis, cependant que je me mets à tousser, poussent de mes jambes, de mon thorax, du centre de mes mains, et derrière mon cou aussi, des lierres des vignes de l'herbe-à-puce des fougères qui ressemblent aux feuilles en dentelle que découpent les enfants des classes maternelles.)

XII

78. Madeleine disparue je revins au quotidien. Le midi, très souvent, une poussière grasse épaississait l'air de la pharmacie comme brumes matinales, et les six fenêtres grandes ouvertes n'aidaient en rien l'aération. Sales journées : il n'y avait à respirer que cette moisissure humide (que des ventilateurs électriques déplaçaient en vrombissant) accumulée par la suie, la pluie.

Puis un matin ce fut décision prise : en huit semaines, au comptoir, je pourrais sans danger accumuler assez de narcotiques pour est-ce que je savais moi ? dix, quinze, vingt mille dollars. Grâce aux relations de l'Expresso, j'écoulerais la drogue par petits paquets. Et puis à la fin, le dernier samedi, je pourrais rafler la caisse, comme ça, etc.

Attention, pas de bêtises : Madeleine m'aurait été utile, elle qui, Madeleine

— Vous pleurez ?

— Mais non Monsieur, je ne pleure pas : je ne pleure jamais moi.

— Un tube de dentifrice s'il vous plaît Colgate ou

Stripe c'est si joli et combien de temps pour exécuter cette ordonnance ?

79. Juillet battait tambour et Monsieur Hoss le gérant s'en allait en vacances. Le bon Dieu était avec moi, j'aurais été ingrat de n'en point profiter. Je vendis tous les jours tout ce que la pharmacie pouvait justifier de paradis artificiels. L'argent s'accumulait.

L'été serait torride dans une ville pour moi devenue silencieuse et vide (les orages suivent le cours des rivières et nous étions dans notre île inondés tous les jours comme en pays tropical. Une végétation exceptionnelle et luxuriante débordait de la montagne, comme si le mont Royal eût été une gigantesque jardinière déposée en pleine cité pour assurer la chlorophylle nécessaire aux enfants, aux sauterelles, à ceux qui, malgré la suie, le quotidien, l'exactitude de l'ennui, ressemblaient encore à des hommes.)

Puisque Patricia n'écrivait pas, je n'avais ni l'humilité ni le goût de lui donner le premier de mes nouvelles. Des amis restaient à Montréal jusqu'en août, nous prîmes l'habitude de nous saouler dans une taverne chaque soir différente, puis de chanter rire et casser des vitres en copains qui n'ont pour eux que les rues, l'éternité bien en main, la sécurité comme un trousseau de clés au fond de leur poche.

Bras dessus, bras dessous, à six ou dix, nous tenant

fermement car quelques-uns s'alourdissaient à la bière comme sacs de peaux, nous choisissions toujours la pente la plus sûre, la moins abrupte, ouvrions des assemblées électorales au coin des rues ; Gauthier sur nos épaules haranguait la foule aux armes citoyens, l'envahisseur couche dans nos murs, il faut le bouter hors du pays, le refouler comme du bétail jusqu'aux grèves, jusqu'au fleuve, le repousser jusqu'aux plages, jusqu'à la mer ; puis, avec des sanglots feints, Gauthier racontait l'épopée des Acadiens, la déportation massive dans des navires sans gouvernail confiés aux seuls courants marins, la Louisiane à découvrir, le jazz qui naquit au bar de l'absinthe, les Irlandais qui — à ce moment de son discours nous nous mettions à réciter le chapelet avec des invocations choisies et des blasphèmes amers, priant tantôt pour les victimes, tantôt pour les bourreaux...

[Comme des pantins tragiques désossés au bout de ficelles usées (dont nous ignorions qui les tenait), émus malgré nous, nous marchions parfois jusqu'à l'aube, ne voulant nous quitter, ne le pouvant peut-être, siamois d'opéra qui assistaient impuissants à la disparition du genre.]

80. Vint enfin une aube tiède, un soleil blanc, des rues à gravir, d'autres qui se bousculaient vers les rives du fleuve ; (je ne leur avais fait nulle mention de mon départ, ni de la lente préparation de tous les détails de l'itinéraire, ni de la petite valise toute prête qui ne

contenait que des vêtements neufs) nous nous quittâmes comme tout autre matin, les uns pour se coucher, les autres pour avaler deux toasts un café avant de retourner au travail, un peu fanés certes, crevés, mais heureux d'avoir une journée de plus à vivre, satisfaits d'avoir fait la preuve que la fatigue le cède à l'amitié.

Je dormis l'après-midi entière. L'heure avança. Les tramways se firent moins nombreux et les crissements des roues sur les rails comme des plaintes d'adolescentes se mêlèrent à la chaleur lourde du samedi. Dans la nuit je pris l'autobus vers la frontière américaine comme si je n'allais qu'en promenade me baigner à Burlington ou visiter quelque musée du chemin de fer. Montréal, à travers la glace arrière, cahotait, et les millions d'ampoules allumées qui dessinaient sa silhouette contre l'arrière-plan sombre de la montagne se mirent à jouer aux lucioles transformant dans le cadre de la vitre ce qui avait été la ligne dure et précise d'une cité en une danse nerveuse et saccadée de mouches à feu poursuivies.

81. Et avec une pareille somme ? Cinq ans ? Trois peut être ? Ne plus rien faire, ne plus travailler, ne plus chercher à plaire, ne plus grimper à quatre pattes. Riche et tranquille. Assoiffé ? Voilà Monsieur, à votre service Monsieur ; Dieu ? Mais c'est le nom qu'on donne au plus grand des banquiers. Au nom du dollar madame vous serez ce soir dans mon lit ; j'ai bien joué hier votre descente de.

Je me disais aussi : plutôt que tout dilapider il faudrait investir capitaliser multiplier les zéros grâce au travail des autres ; notre dollar qui êtes aux cieux donnez-nous aujourd'hui notre pourcentage quotidien et pardonnez-nous nos erreurs comme nous pardonnons à ceux qui ont investi, ne nous laissez pas succomber à la charité, délivrez-nous des pauvres, ainsi soit-il.

Evidemment cette tentation de puissance ne dura que quelques jours. Une nuit, juché comme un coq sur le tabouret du bar, au Quality Motel de Jersey, je tins des discours dont le souvenir me fit honte au réveil le lendemain. Ma petite nature généreuse m'avait rattrapé par le fond de culotte. Ah n'échappe pas qui veut à ses idéaux de salarié ! La philosophie du chèque de paie hebdomadaire, seventy eight dollars and thirty cents, c'est comme un repas à l'ail.

Je crus dès lors qu'il ne s'agissait plus, pour moi, que de disparaître complètement, parfaitement, comme un noyé, dans des villes de plus en plus nombreuses : qu'il me fallait rapidement m'annihiler dans le sable du continent me fondre au paysage comme un trait de crayon pastel m'estomper, devenir tenez ! la lettre S qu'on trouve dans U.S.A., bien cachée entre les deux autres ; Amérique je t'adore, je te couvre, je te chausse !

(— Patricia ? Te reverrai un jour ma mie, merde ma ville ! Et vous les copains allez tous vous faire, puisque ça vous amuse. Plein l' dos moi, de lécher des, je choisis un crisscross infernal, moi, je choisis d'aller de ne plus dormir, d'être à la fine pointe de la conscience, moi.)

Je désirais ce somnambulisme autant qu'on peut désirer l'autre sexe, un rêve, un alcool. J'habitais le Bronx, Toledo, Brooklyn, Saint-Louis, Harlem, je marchais dans Hoboken, je voulais me faire accepter à tout prix des déshérités même (dans la douzième rue à New York des hommes des femmes de trente ans, de soixante, sans chaussures sans vie sans orgueil sans nerfs sans dignité affalés comme des paquets de lessive contre des portes condamnées ou se traînant sur le ventre en plein trottoir pour a *quarter,* vingt-cinq *cents* de rubbing alcool ; d'autres curaient soignaient leurs pieds les orteils en éventail au soleil tiède de septembre d'autres comme morts sous la pluie ivres-morts sous la pluie depuis un moment difficile peut-être un père une femme sans doute un travail raté, et tous ils avaient cette peur instinctive : dès qu'on levait la main ils se roulaient par terre ; peur de la main du flic bien sûr et puis de celle du prêtre qui se voulait bon Samaritain — ayant lu le Nouveau Testament — ; curieuse vilaine désagréable honteuse crainte au bas du ventre ; depuis Dieppe ou Nagasaki sans doute ; j'avais douze ans, treize ans peut-être), devenir nègre avec les nègres, Juif parmi les marchands de fourrure, Italien, Irlandais, m'annihiler encore ; c'était à rire ; travail inutile où l'orgueil se déguisait en humilité contrite. Je suivis les routes d'Amérique comme de longs corridors entre des champs pauvres et verts d'une monotonie radieuse ; le maïs (plante sacrée à perte de foi) abondait et dans les villages on avait dressé des cages comme des volières vides, sortes de ruches en treillis de métal où l'y faire sécher. Il arrivait, la nuit, qu'un noir les fasse flamber...

Parfois au matin, là-haut, à la manière tranquille des cerfs-volants que l'on voit dans les dunes de sable de Cape Cod, des éperviers gris tournaient lentement sur eux-mêmes, projetant des taches sombres sur le sol qui faisaient fuir les mulots, dédaignant les proies faciles, plus heureux de créer un impensable mouvement immobile (sorte d'assiettes au bout des baguettes japonaises de prestidigitateurs habiles) que de satisfaire leur appétit pourtant vorace.

Chaque fois qu'il m'en était donné occasion je changeais de nom pour brouiller les pistes je devenais Growski Lemay Miller Drinkwater Marcovitch Higgnis Rietpert Pellon Camerlain Datko Dutemple selon les questions que l'on me posait, les fiches d'hôtel, les cartes des motels ; j'achetais une voiture, allant d'est au sud, la revendais, revenais à mon point de départ dans un de ces autobus Greyhound énorme qui avalent le ciment des tollways comme un veau tète sa mère, laissant derrière eux des fumées de pétrole bleues lourdes et puantes ; sur place, dans une maison de pension de la banlieue, je payais la semaine d'avance ; le lendemain matin, sans prévenir, je m'échappais vers la mer.

Les mois passaient et moins je pouvais craindre d'être rattrapé par la police plus j'étais terrorisé par ce vertige inquiet qui s'était emparé de moi : petit imposteur à la recherche de son travesti, de sa prochaine perruque. Je redevenais enfant, curieux de tout, jouant au cinéma quand les lieux m'étaient familiers, ou à l'explorateur acharné quand je me croyais perdu. Debout à l'aube, tantôt couché dans un lit, tantôt assoupi dans les sables chauds et les orties, je passais mes nuits à rêver aux lacs frais des montagnes bleues, par-delà Washington, ou aux oiseaux de paradis que promettaient les dépliants en couleur des stations-service et qui surgissaient parfois la nuit dans les trous béants des écrans inattendus que dressaient les drive-in au bout des champs.

Mme Jane Pickers me reçut chez elle à Daytona Beach (Florida); son mari, aviateur, était depuis trois semaines cantonné en Californie.

— This will teach him a lesson!

qu'une femme est plus importante *God* que la United States Air Force.

(Dans son jardin les palmes comme des mains rassurantes semblaient créer le vent à mesure que la mer se calmait. Mme Jane Pickers se tenait debout sur des dalles de ciment malgré beaucoup de whisky, les jambes à peine écartées pour assurer son équilibre.)

Il y eut des Jane Pickers, à Dallas, à Port Hope, à Baton-rouge, à Toledo, à quoi bon.

82. *Nous ne jouerons plus, Patricia.* La neige fond. Nous ne jouerons plus. Du moins pas pour longtemps. Finies les farandoles; nous voici comme des adultes à la table du petit déjeuner, les yeux dans les yeux (bleus,

verts), au-dessus de nos tasses de café instantané. C'est à croquer, du gâteau, au miel,

— Nous n'avons peut-être

— C'est autre chose qui m'inquiète; je pense: au fond je m'ennuie ici, tu

— voleur

— cheveux blonds couleur femme du nord, petit kiosque à musique pour opéra allemand, seins à l'américaine, agressifs cruisers, taches de rousseur répandues avec art...

— fini la littérature ?

— *jamais;* mais tout ça (grand geste qui la couvre des pieds à la crête) d'ailleurs n'a jamais été à moi tout à fait, c'est

— As if I had been paying you to make love ?

— Si tu veux; mais je ne suis pas chez moi ici de toute façon; et vos paysages à la

— Tu deviens ridicule; sugar please.

— Patricia

(Tout cela est malsain. Ces plumes qui nous couvrent comme si nous étions oisons fleuris.

— Quand les hivers sont rigoureux il en meurt mille; au printemps, en pleine sève, lorsque le soleil fait couler l'eau, les corps duveteux pourrissent jusqu'aux os; plus tard, beaucoup plus tard, l'été et ses migrateurs en cohorte nous permettent d'oublier.)

XIII

83. Le Castle qui s'était immobilisé comme dans une carte de Noël redevient maison cossue dans un décor enchevêtré. Et l'hiver ne se devine plus qu'à ces flaques d'eau qui noient jusqu'aux pelouses jaunies du boulevard.

Demain : l'été, les gens. Les choix se précisent.

J'ai tout expliqué à Patricia ; elle n'a pas compris ; mais au fond *cela n'a aucune importance.* Nous sommes des millions à comprendre, enfin à peu près. Hier matin, dans la *Free Citizen Gazette,* quatre colonnes à la une, des photos, une nouvelle transmise depuis Montréal par le fil de la Canadian Press :

UN VEILLEUR DE NUIT TUÉ

Avant-hier soir, samedi, le Front de Libération québécois a fait sa première victime : Vin-

FLQ'S TERRORISTS BLAMED FOR BOMB DEATH

(CP) The terrorist Front de Libération québécois today bears the brand assassin in the wake of Saturday's ex-

cent O'Neil, veilleur de nuit au centre de recrutement de l'armée, rue Sherbrooke.

Les autorités du Québec ont annoncé une récompense de $ 50,000 à quiconque pourra donner des renseignements menant à la capture des membres de ce réseau terroriste.

On sait que le FLQ, depuis la destruction du monument Wolfe dans les plaines d'Abraham, n'a cessé de harceler les forces armées, la R.C. M.P., et que ses membres ont juré qu'ils détruiraient le colonialisme et ses symboles.

On ne sait, pour l'instant, si le F.L.Q. est d'obédience marxiste. Le gouvernement s'inquiète de ce que les tracts distribués ressemblent à la propagande castriste.

Vincent O'Neil, âgé de

plosion-killing of a National Defence furnaceman who was due to retire next month.

While Quebec Officials hesitated to blame the murder on the FLQ directly, it became known that Premier Lesage has been under constant surveillance.

The victim of Saturday's killing was William Vincent O'Neil, 65, a veteran of two wars, who has been employed at the Army Recruiting Center Sherbrooke Street West.

Among the measures armed at eliminating terrorist activity in Quebec will be legislation placing tighter control on the sale of dynamite Deputy Attorney General said Sunday night. Government buildings also have been under tighter watch in recent weeks.

Since the destruction of the Wolfe Column on the Plaines of Abraham in Quebec City FLQ terrorists who soixante-cinq ans, prenait sa retraite le mois prochain...

claim to be Marxists fighting for Freedom remain an organization of mystery.

Who is in it? How many?

The FLQ pledged to destroy all the symbols and colonial institutions in particular the RCMP and Armed Forces by systematic sabotage. The search goes on Police said.

84. Le temps d'une valise, d'un départ, d'ailes brisées sans doute.

85. Pour détruire la volière, *choisir.*

Inimi/ni, maï, ni, mo, catch a nigger by the toe, if he hollers let him go, Inimi/ni, maï, ni, mo. Choisir, à poings fermés.

(La haine est venue, comme une saison. Le printemps est venu, comme une gifle; personne ne peut lutter contre le vent, les saisons, la lumière blanche, la neige ébouriffée des rafales.)

(Je ne te ferai aucun mal, si tu ne dis mot, Patricia. D'ailleurs il ne te servirait à rien de te débattre ou de crier, ou même de parler de nos amours anciennes. Le couteau restera sur la table de la cuisine. Aucune trace de sang sur les tapis.

A peine ton corps vibrant et doux qui s'agitera, à peine ton souffle qui)

(Septembre 62 — février 64)

Dans la collection «Boréal compact»

1. Louis Hémon, *Maria Chapdelaine*
2. Michel Jurdant, *Le défi écologiste*
3. Jacques Savoie, *Le Récif du Prince*
4. Jacques Bertin, *Félix Leclerc, le roi heureux*
5. Louise Dechêne, *Habitants et marchands de Montréal au XVIIe siècle*
6. Pierre Bourgault, *Écrits polémiques*
7. Gabrielle Roy, *La détresse et l'enchantement*
8. Gabrielle Roy, *De quoi t'ennuies-tu Évelyne?* suivi de *Ély! Ély! Ély!*
9. Jacques Godbout, *L'aquarium*

Achevé d'imprimer en janvier 1989
sur les presses de l'imprimerie Gagné
à Louiseville, Québec